非物质文化遗产研究丛书

王建武 著

非遗保护与松阳高腔研究

FEIWUZHI WENHUA YICHAN YANJIU CONGSHU

苏州大学出版社
Soochow University Press

图书在版编目(CIP)数据

非遗保护与松阳高腔研究 / 王建武著. —苏州：苏州大学出版社，2014.6
（非物质文化遗产研究丛书）
ISBN 978-7-5672-0920-6

Ⅰ. ①非… Ⅱ. ①王… Ⅲ. ①高腔－研究－松阳县 Ⅳ. ①J617.555

中国版本图书馆 CIP 数据核字(2014)第 109059 号

非遗保护与松阳高腔研究
王建武 著
责任编辑 薛华强

苏州大学出版社出版发行
（地址：苏州市十梓街1号 邮编：215006）
苏州工业园区美柯乐制版印务有限责任公司印装
（地址：苏州工业园区娄葑镇东兴路7-1号 邮编：215021）

开本 700 mm×1 000 mm 1/16 印张 12.25 字数 207 千
2014 年 6 月第 1 版 2014 年 6 月第 1 次印刷
ISBN 978-7-5672-0920-6 定价：32.00 元

苏州大学版图书若有印装错误，本社负责调换
苏州大学出版社营销部 电话：0512-65225020
苏州大学出版社网址 http://www.sudapress.com

自述与期望
——为王建武新著而序

刘建超[1]

松阳高腔作为首批进入国家级"非遗"名录的古老地方戏曲剧种，倾注着许多人的心血和汗水。由于工作关系，我与松阳高腔结下了不解之缘，这不仅因为我是松阳人，从小受到松阳这片苍天厚土的滋养，而且我也耳濡目染这片土地上既古老又深厚的文化艺术。

我与松阳高腔结缘于1978年，当获知浙江婺剧团要排练松阳高腔《磨豆腐》时，就想方设法获得资料，并观看了彩排。从此，默默地喜欢上了这一自己家乡的戏曲。是年，我见证了松阳玉岩镇松阳高腔剧团的重建，在县文化馆参与松阳高腔艺人的几次访谈，并观看了在遂昌大柘、石练、西屏和古市等地的演出。1981年初，我从专业剧团调至文化馆，与时任馆长华俊在同

---

[1] 刘建超，男，汉族，1949年7月出生于浙江松阳县。毕业于林校、浙农大、中国函授音乐学院、北京管理学院、人文函授大学等。从幼儿班5岁演出《老鹰抓鸭》开始至今从未间断舞台演出生涯。第一个作品是在林校读书时（16岁）创作的现代小戏歌剧《朝迎彩霞》（作曲、导演、主角），参加上级的文艺调演并获奖。曾在专业剧团、文化馆、文化宫担任演员、乐师、业务副馆长、主任等职。从事文艺工作四十多年来，著有《松阳高腔》《献给祖国的歌》《刘建超文艺作品选》等专著，主编《松阳高腔音乐与研究》。创作音乐作品100多件，戏曲作品36件，舞蹈作品5个，曲艺作品40多个，摄影作品100多幅，文学作品80多篇。参加《中国民族民间器乐曲集成·浙江卷》《中国戏曲志·浙江卷》《曲艺音乐集成》《舞蹈集成》的条目编撰，是《器乐曲》《戏曲志》《曲艺音乐集成》地区卷的编委、责任编辑和县卷的主编（后工作调动交由他人担任）。现为中国音乐家、戏剧家协会会员，浙江省音乐家、戏剧家、曲艺家、民间文艺家协会会员，浙江省职工文化研究会理事。松阳县文联第一届至现届委员，松阳高腔研究会第一届至现届主席（均已31年），松阳县茶文化研究会成员。北京（国际）文化艺术研究院特邀研究员，浙江师范大学音乐研究中心兼职研究员。曾任松阳县政协第四至第六届委员。将大部分精力投入到民族音乐包括戏曲、曲艺、舞蹈音乐等的学习、创作、研究之中，特别是对松阳高腔的挖掘、收集、整理、保护、传承、发展、研究工作历经三十多个春秋，默默耕耘，费尽心血。

一办公室工作,开始了对松阳高腔的探索与研究工作。是年底,华俊认为松阳高腔源于清代,而我则认为松阳高腔源于明末清初。我们之间,各自保持自己的学术观点,但彼此相互信任、相互合作。该年还在古市镇、斋坦乡等地观看松阳高腔剧团的演出。1982年1月,松阳县制恢复后,我调往松阳县文化馆。分手前,华俊对我说:"保护松阳高腔的担子就落在你的肩上了……"是年,我召集松阳高腔老艺人开座谈会,并将保护松阳高腔的工作首次提交县委、县政府和文化主管部门。同年,由我带领(并导演)的文艺演出队到全县各乡镇慰问演出,其中的一个节目就是松阳高腔小戏《八百两》。1983年,邀请松阳高腔剧团在县城剧院演出《夫人传》等剧目。同时在县举办松阳高腔座谈会,邀请县领导和相关县代表参加。在会上,再次提出对松阳高腔的保护、传承工作,并强调其重要性。从6月份开始,我深入到两副松阳高腔的原生地(玉岩镇白沙岗村和周安村)进行长达近一个月的调查、资料收集工作,对松阳高腔的历史渊源、音乐、剧目、表演、服饰、艺人、班社、演出习俗、行话、谚语、轶闻等进行系统的采风活动;对每一个演员、乐队人员进行了采访,对全部唱腔、文武场曲牌进行了记录。老艺人都说:"小刘同志把松阳高腔精的、粗的、所有的根和全部家当都挖尽了。"(这些录音材料在我调离文化馆时都交给了文化馆保存)。是年,我在玉岩、枫坪等地观看了松阳高腔的演出,并从县里争取资金资助松阳高腔剧团各一千元。1984年初,县成立《戏曲志》编委会,我担任主编。从1982年至1986年,我跑遍了全县各乡镇,对历史上有过松阳高腔艺人或班社剧团的38个村都进行了采风调查。连续观看了两副松阳高腔剧团所有剧目的演出,并进一步采风调查。1984年,在县城两次召集艺人进行座谈,艺人们提出要我协助他们排戏,以增强艺术表现力,我鼓励他们"保持原貌,家族传承,坚持演出,持久延续"。就这样,这一古老剧种的两副家族传承的班社至今一丝一毫都未曾改变过。经我多次向县政府申请给予松阳高腔资助,各剧团均获多次数目不等的资金补助。1986年5月,浙江省文化厅举办"浙江省戏曲声腔衍变规律学术研讨会",我以论文《从民歌到戏曲音乐》参与了研讨,该文刊于省艺术研究所主办的《艺术研究》。从1984年至1986年,在剧种原生地白沙岗和周安村,以及大东坝、靖居、斋坦、谢村、安民等地观摩松阳高腔演出,对艺人们进行了更为深入的采访。基于从1978年至1987年对松阳高腔的采访、收集、整理和研究,我于1986年和1987年分别通过县文化局、松阳高腔研究会出版了《松阳高腔》及《松阳高腔音乐浅析》两部专著(内部资料)。从1987年至今,我到省市级图书馆及大学图书馆翻阅大量的历史资料、史籍、家族谱,在本省或外省进行采风、调查、探讨,并经常访问一些知名的专家教授,进行学习、交流、探讨等活动,我的研究视野从松阳高腔拓展至全国的高腔声腔剧种以及其他各有关的声腔剧种,以至后来延伸到全国多数的声腔剧种。这也让我进一步认识到了松阳高腔的历史地位与文化价值。

为了让"原汁原味"的两副家族传承的松阳高腔剧团能永久地保持下去,在每次县政协、县文联或县文化局有关会议上,我把观点摆得很清楚,即对两副家族传承的剧团所有的原始艺术形式一点不能变,要创新(群众要求)只能在以后新编的剧目上进行。1987年至1990年,由我支持创办(招学员并讲课或导演)的松阳县西屏镇剧团和松阳县古市镇婺剧团由于经费不足相继解散。我找到县文化局、文化馆的领导强调:"松阳高腔剧团再不能解散了,要想方设法让它们坚持每年演下去,尽量给予方便,给予经费或物资等的支持,这是我县的文化瑰宝啊……"1991年,由我编剧、作曲、导演的反映二十八年送粮上门学习雷锋精神的第一个现代小戏《送粮》参加丽水地区文艺汇演,省艺术研究所专家观看后要求该剧专程到省里参加汇演。由于演出人员大多是粮食部门的人,适逢收粮季节,生产任务重,故没有去。从1993年到2010年退休前,我担任县第四、五、六届政协委员,每届的提案及有八次的大会发言中,几乎都提及松阳高腔的内容,提要都是保护、传承、资助、协助等相关的工作。1997年,在政协文化新闻组讨论会上,我提出"两条腿走路"的方法,即两副家族传承的剧团坚持"原始不变"的路,新编的剧目走"创新发展"之路。这期间,我要求两副原生松阳高腔剧团凡有演出,都要通知我,只要有时间,我就会去观看演出并进一步跟踪采风。1994年和1997年,我有关松阳高腔的论文《戏曲与民俗风情史》和《戏曲声腔漫话》参加全国相关的学术研讨会,都入选并获奖。1998年,我积极组织协助松阳高腔剧团(并任乐师)参加由省文化厅、钱江晚报、浙江电视台主办的"浙江省少数剧种交流演出"。同年,松阳县政协出版了由我收集整理的《松阳高腔曲牌专辑》。1996年至2000年,我又到各地观看松阳高腔剧团演出。2002年至2003年,我被西泠印社等出版社聘任为编辑。两年期间,我走遍了大半个中国,利用空余时间,到有关文化单位、剧团、研究单位、院校及各级图书馆进行考察,进一步丰富知识,拓宽视野,与专家学者们形成共识,让我更坚定自己所持的学术研究路子和方向。从1982年至今,陪同外来的调研学者、领导到松阳高腔演出地观摩调研,估算已接待200多人次。2001年、2005年、2006年,松阳高腔被省档案局、省政府、国务院公布为首批文献资料重点单位和首批非物质文化遗产代表作。我的工作更忙了,奔走呼吁,终为松阳高腔剧团争取到资金、物资等方面的支持,从而铺平了松阳高腔保护、传承和发展之道路。2008年,在县文联的资助下,中国民族摄影艺术出版社出版了我主编的《松阳高腔音乐与研究》专著。2009年,浙江摄影出版社出版了我编著的《松阳高腔》。

经五年多时间的努力,我编剧、作曲、导演了松阳高腔新编历史剧《张玉娘》和《叶天师传》两个正本大戏。新编松阳高腔历史古装戏《张玉娘》,反映的是我国宋代女词人张玉娘对爱情的忠贞以及强烈的爱国主义情操。新编松阳高腔历史神话剧《叶天师传》,反映的是唐代著名的道教法师叶法善为国为民以及毕生从事道教事业与宫廷音乐的业绩。张玉娘、叶法善均为松阳人氏,将文化名人与国家非物质文化遗产代表作和谐地结合在一起,其意义是不言而喻的。两个剧目均为八场戏,演出均要两个小时以上。

《松阳高腔》和《松阳高腔音乐与研究》两部松阳高腔专著是我30多年来对松阳高腔研究的理论成果。此外,我还指导了王建武(丽水学院)、罗涛(丽水职业技术学院)等多位青年学者从事松阳高腔的研究,并受聘为浙江师范大学音乐学院音乐研究中心研究员,与特聘教授杨和平一起开展研究生教学及相关工作。

王建武,丽水学院艺术学院副教授,自2003年以来,随我深入采访、挖掘松阳高腔这一濒临灭绝的地方戏曲剧种,算来已十年有余,取得了一定的研究成果:他先后参与我主编的松阳高腔研究的专著《松阳高腔》和《松阳高腔音乐与研究》;发表与松阳高腔相关的论文11篇;主持或参与省部级研究项目,如主持《松阳高腔活态现状调查与保护研究》(2010年浙江省哲学社会科学规划课题)、杨建伟主持的《南戏寻踪——南戏现代遗存志》(2006年浙江省社科联重点课题)、陈乐燕主持的《浙西南民间现存剧种的生态现状与保护研究》(2008年浙江省哲学社会科学规划重点课题)及《松阳高腔口述剧本的记录整理与研究》(2012年浙江省哲学社会科学规划课题)等。

在我看来,王建武的新著《非遗保护与松阳高腔研究》在以下几个方面是值得肯定的:一是内容的准确性;二是层次的明晰性;三是学术的严谨性;四是史料的可信性。

历史已经证明,艺术是人民创造的,是人民群众表情达意的审美对象,松阳高腔亦是如此。我已至耄耋之年,对松阳高腔的保护、传承与研究又岂止吾辈!愿有更多像王建武这样的后继之士,为挖掘、整理、保护与传承我们祖辈留下的宝贵的民间文化艺术做更多更有益的工作。

刘建超
2014年春于松阳

目 录

绪 论 ··· (001)

第一章 自然生态与人文环境 ································· (003)

  第一节 自然生态 ·· (003)

    一、地形地貌 ·· (004)

    二、气候特征 ·· (004)

    三、水文状况 ·· (005)

    四、自然资源 ·· (005)

  第二节 人文环境 ·· (005)

    一、历史沿革 ·· (005)

    二、人文景观 ·· (007)

    三、名人名家 ·· (008)

第二章 高腔与松阳高腔 ·· (010)

  第一节 高腔 ··· (010)

    一、高腔释义 ·· (010)

    二、高腔特征 ·· (011)

    三、剧种举例 ·· (013)

  第二节 松阳高腔 ·· (020)

    一、历史渊源 ·· (020)

    二、发展进程 ·· (024)

    三、班社名角 ·· (026)

第三章 活态现状与研究叙事 ································· (029)

  第一节 活态现状 ·· (029)

  第二节 研究叙事 ·· (036)

第四章 音乐本体与艺术特征……(041)
第一节 音乐本体……(041)
   一、节奏节拍……(041)
   二、旋律旋法……(044)
   三、曲式结构……(046)
   四、调式调性……(053)
   五、过门音乐……(058)
第二节 艺术特征……(062)
   一、音乐特征……(062)
   二、表演特征……(063)

第五章 曲牌内涵与唱腔分析……(069)
第一节 曲牌内涵……(069)
   一、曲牌类型……(069)
   二、曲牌功能……(071)
   三、剧目中的曲牌……(072)
   四、典籍中的曲牌……(074)
   五、曲牌的表现形式……(074)
   六、语音分析……(078)
   七、曲牌结构……(079)
   八、曲牌演唱……(080)
第二节 唱腔分析……(084)
   一、帮腔……(084)
   二、衬腔……(092)
   三、甩腔……(097)

第六章 传承人与传承剧本……(103)
第一节 传承人……(103)
   一、代表性传承人……(103)
   二、承续者：刘建超……(108)
第二节 传承剧本……(114)
   一、剧目……(114)
   二、剧本……(116)
   三、剧本例举……(117)

第七章 乐队伴奏与舞台化妆……(120)
第一节 乐队伴奏……(120)

一、乐队构成 …………………………………… (120)
　　二、锣鼓经 ……………………………………… (123)
　　三、代表乐师 …………………………………… (125)
　第二节　舞台化妆 …………………………………… (126)
　　一、角色行当 …………………………………… (126)
　　二、道具布景 …………………………………… (127)

第八章　其他高腔剧种 …………………………………… (130)
　第一节　西安高腔 …………………………………… (130)
　　一、历史源流 …………………………………… (130)
　　二、音乐特征 …………………………………… (132)
　　三、表演特征 …………………………………… (135)
　第二节　常德汉剧高腔 ……………………………… (141)
　　一、历史源流 …………………………………… (141)
　　二、汉剧高腔剧目 ……………………………… (145)
　　三、汉剧高腔音乐 ……………………………… (145)
　第三节　湘剧高腔 …………………………………… (147)
　　一、历史源流 …………………………………… (147)
　　二、变革发展 …………………………………… (149)
　　三、音乐特征 …………………………………… (151)
　第四节　辰河高腔 …………………………………… (154)
　　一、历史源流 …………………………………… (154)
　　二、音乐特征 …………………………………… (156)
　　三、行当角色 …………………………………… (161)

第九章　存在问题与保护策略 …………………………… (163)
　第一节　存在问题 …………………………………… (163)
　　一、艺人断层 …………………………………… (163)
　　二、装备陈旧，资金短缺 ……………………… (165)
　　三、生存环境差，演员文化素质低 …………… (167)
　第二节　保护策略 …………………………………… (167)
　　一、抢救与保护 ………………………………… (167)
　　二、传承与发展 ………………………………… (168)
　　三、普及与推广 ………………………………… (168)
　　四、开拓与创新 ………………………………… (168)
　　五、开发与建设 ………………………………… (168)

结　语 …………………………………………………（170）
参考文献 …………………………………………………（172）
附　录 …………………………………………………（179）
后　记 …………………………………………………（181）

绪 论

浙江是中国古代文明的发祥地之一，历史悠久，钟灵毓秀，人文荟萃，物华天宝，素有"文物之邦"的称谓。从史前文化到古代文明，从近代变革到当今发展，都为中华民族留下了众多弥足珍贵的文化遗产。松阳高腔便是其中一朵艳丽的奇葩，于2006年被列为国家级非物质文化遗产保护项目。它以悠久的历史、丰富的内涵在浙江民间音乐中占据着重要的地位。但近年来受到各种因素的影响与制约，松阳高腔这个传统音乐品种正面临失传的险境。基于此，无论是取音乐学的研究视域，还是从非物质文化遗产保护传承的视角来对其历史、艺术特征、活态现状等展开深层研究，都有着重要的意义。

伴随着《世界非物质文化遗产保护公约》的出台，非物质文化遗产项目的保护日益受到社会各界的广泛关注。国家、省级、市县级非物质文化遗产保护名录陆续公布，并出台相应的配套保护措施，昭示着对人类非物质文化遗产保护的信心。众所周知，"文化遗产是不可再生的珍贵资源"。随着经济全球化趋势与现代化进程的加快，人们生活环境、价值观念的转变，导致我国文化生态正受到巨大冲击。因此，加强文化遗产保护刻不容缓。国务院颁发的《关于加强文化遗产保护的通知》指出："地方各级人民政府和有关部门，要从对国家和历史负责的高度，从维护国家文化安全的高度，充分认识保护文化遗产的重要性，进一步增强责任感和紧迫感，切实做好文化遗产保护工作。"无论是从世界、国家非物质文化遗产保护的视域，还是从浙江省非物质文化遗产保护的视角看，对松阳高腔音乐文化生态现状的调查和保护进行探究，都有着十分重要的学术价值和传承意义。

当今时代，随着现代化、城市化进程的加快，松阳高腔正面临着巨大的冲击。一方面，受强势音乐文化冲击，致使松阳高腔后继无人、参与人数下降；另一方面，受城市化进程影响，致使松阳高腔的生存空间越来越小。所以，对松阳高腔生态现状的调查与保护，迫在眉睫，一旦消失，便不可复制、亦不能再生。对松阳高腔展开保护与研究，并不是因为其独特的音乐属性，而是因为它承载着中国几百年甚至上千年的文化传统和人文精神，是中华民族自我认知、自我标识的最好凭证！基于上述认知，我们将研究目光聚焦于松阳高腔这一古老剧种，从非物质文化遗产保护与传承的视角切入，对松阳高腔生态现状展开调查，以便更好地保护松阳高腔这个剧种，为有效传承和弘扬浙江传统音乐文化做出应有的贡献。

  本书的写作思路是首先从松阳地区的自然生态和人文环境入手，探寻松阳高腔的自然生态和文化底蕴。围绕高腔与松阳高腔的起源与班社发展，松阳高腔的音乐本体、艺术特征、生态现状、保护研究等问题逐一展开。

  对于松阳高腔的研究来说，在历史文献中很少有关于它产生、发展、衍变以及传承方式、艺术特征等方面的完整记载，其代代传承的古谱也多散落在民间艺人手中。因此，我们借鉴音乐人类学、民俗学、文化学、地理文化学等研究方法全面研究松阳高腔，广泛挖掘、整理相关的文献资料，深入松阳当地进行实地调查，力争获得有价值的音像、图片、文字、书谱等资料；建立松阳高腔基础数据库，撰写出各个板块的生态调查报告。在调查研究基础上，对松阳高腔的生态现状进行理论分析与归纳，提出有效保护和传承松阳高腔的相应对策。本书旨在为保护和传承好这一非物质文化遗产尽微薄之力，为进一步推进松阳高腔的研究工作添砖加瓦，也为中国特色社会主义文化的繁荣发展贡献力量。

第一章　自然生态与人文环境

第一节　自然生态

松阳县位于浙江省西南部,现属丽水市管辖。地处东经119°29′,北纬28°27′。南部与龙泉市、云和县相接,东部濒临丽水市莲都区,最东至裕溪乡新渡,东北部毗邻武义县,西北部连接遂昌县,最西部靠近枫坪乡龙虎垇,东西横跨53.7千米;最南至大东坝镇大湾,最北至赤寿乡大川,南北长40.2千米,总面积1406平方千米。

丽水市行政区划图

一、地形地貌

松阳县境内四面环山,以高低不等的丘陵地、山地为主,中部腹地属于盆地地形,因其开阔平坦等原因被称为"松古平原",亦有称之为"松古盆地"的,这一地区是全县主要的粮食生产区。地势西北略高,东南略低。在全境的地理总面积中,耕地占8%,水域及其他占16%,山地占76%,有"八山一水一分田"的说法。瓯江支流松荫溪从西北方向向东南方向斜贯松古盆地,松阳境内有60.5千米流程,流域面积达到1300平方千米,占总面积的92.55%。仙霞岭山脉是松古平原的四面屏障;仙霞岭山脉主要的山峰有包山头、留明尖箬寮岘、高脂尖,分布在松南、松北、松中和松西。

松阳县地形图

二、气候特征

松阳县地处亚热带季风气候区。这里气候温暖湿润、四季分明,且雨量充足,有霜冻时间较短,全年无霜期约236天。春天相对较早,气候垂直差异明显。松古平原月平均气温最高为7月份,极端最高气温40℃;最低为1月份,极端最低气温-9.7℃;一般年平均气温大约是17.7℃。松阳县境内近年来平均降水量1700毫米,雨季多集中在3~6月份,平均降水量816.8毫米;但在7~8月份这里的天气温度高且晴天居多,往往容易出现伏旱的现象;每年的11月份是雨量最少的月份,降雨量仅有40~50毫米。

三、水文状况

松阳县境内河流星罗棋布,属瓯江水系。以松荫溪和小港溪为主要支流。松荫溪发源于遂昌县安口乡,自西北流向东南,斜穿松阳县境,是瓯江水系的一级支流。而小港溪多为山间小溪流注而成,大多蜿蜒迂回在崇山峻岭之间,源短流急,坡降较大,河道狭窄。小港溪的水流量受降水量影响明显,呈季节性变化。流域面积仅占总面积的7.45%,其中枫坪、大东坝等乡镇的山间小溪注入龙泉溪;板桥、三都、四都等乡镇的山间小溪则汇入宣平港。

四、自然资源

松阳县境内矿产资源丰富。金属矿物质有银、铁、铅、锌、钼、钨等,非金属矿物质有膨润土、萤石、叶蜡石、白云母、明矾石、瓷土、花岗岩、煤、高岭土、伊利石等。花岗岩、铜、高岭土、煤、萤石、钼等矿已开采利用,其中高岭土每年开采5万余吨。另外还有名药材黄连、厚朴、金银花、前胡等,名树伯乐、香果、银杏、白豆杉、红豆杉等。

第二节　人文环境

一、历史沿革

据历史记载,松阳县始建于公元199年(建安四年)的东汉时期,属于会稽郡,是当时丽水地区设立最早的县。公元257年(吴国太平二年),松阳划归临海郡。公元323年(东晋太宁元年)松阳县又划归永嘉郡。公元589年(隋开皇九年),在松阳县东部设置了栝苍县,同时设置处州,松阳隶属于处州;开皇十二年(公元592年)处州改为栝州,松阳改由栝州管辖。公元607年(大业三年)改撤栝州为永嘉郡,松阳也随之改属于永嘉管辖。公元621年(唐武德四年),松阳县改为松州;公元624年(唐武德七年),栝州改成都督府,松州均所辖。公元628年(唐贞观二年),又将松州这一名称改回原松阳县这一称谓,并将当时的遂昌并入松阳县管辖。公元711年(唐景云二年),遂昌又从松阳独立出来。公元759年(唐乾元二年),将松阳县南部诸乡设置成为龙泉县。公元779年(唐大历十四年),又一次将栝州改称谓为处州,松阳仍旧为其隶属。公元910年(五代后梁开平四年),松阳县易名为长松县,后又在公元939年(后晋天福四年),将长松县改称为白龙县,最终在公元999年(北宋咸平二年),又将白龙县改回原来的称谓松阳县。元朝时期,政府制定的都保制〔1〕较为流行,公元1350年(元至正十年)松阳县下设置26都,每一都下又设置了10保,都有都长,保有正,他们各司其职,各任其事。明清时期松阳当时属于处州府。

1911年11月(清宣统三年),辛亥革命爆发后,处州军政分府,松阳仍旧隶属于处州。1912年,"中华民国"建立,撤处州军政分府,全国上下实行省县两级管理制度,松阳县当时就属于浙江省直接管理。1914年,民国政府设置了瓯海道,辖松阳县。1927年("民国"十六年),废除瓯海道,重新设置成省县两级制管理,松阳当时仍为浙江省直接管理。1932年6月("民国"二十一年)开始设置县政督察区,松阳县属于第十一区。同年十月,松阳县改属第二临时特区。1935年6月("民国"二十四年6月),第二临时特区改为丽水行政督察区。松阳县后来又在1941年4月、1945年4月和1945年6月分别隶属于第九、第六、第七行政督察区,一直到1949年5月,松阳县一直属于第七行政督察区。

1949年3月14日,松阳县县长祝更生和丽水县县长张慕槎率部300余人起义;起义后,分别成立了中共丽水宣工委和丽水县政府以及丽水永武人民游击队,1949年4月中共丽水宣工委改名成为处北县委。同年5月,松阳获得解放,8月便设立了浙江省第七专区。松阳解放后,废除原有的保甲制

---

〔1〕 都保制也叫都甲制,明、清两代的行政区划制度,在中国通行了600年。县下设置"都",都下设置"甲",一般以序数命名。都甲的主要任务是征收田赋。民国时期,"都甲"依人口的多少改为乡或镇。

度,原城竹区、靖居区、古市区、玉岩区分别设立了办事处,5月26日,撤销各区办事处,成立了第一至第四区人民民主政府。当时松阳全县辖4区、21乡镇,各乡镇辖区依旧。是年10月,松阳县被改属丽水专区管辖。1950年,第一至四个区依次更名为城关、靖居、古市、玉岩区,原有的21乡镇扩编为43乡镇。1952年1月,丽水专区撤销,松阳县划归衢州专区;1952年5月,又增设石仓区,辖石仓、百步、横樟、五部、安民乡。松阳县管辖城关、古市、靖居、玉岩、石仓5区43个乡镇。1952年8月撤销城关区,建立江南区、江北区和县直属西屏镇;10月撤销石仓区,原辖百步乡并入石仓乡,五部乡并入横樟乡,划归靖居区;安民乡划归玉岩区。辖1直属镇,江北、江南、古市、靖居、玉岩5区41乡镇。1955年3月又改划为金华专区。1956年3月,撤区并乡,辖15个直属乡镇,2区10乡。1958年11月21日,撤销松阳县建制,原松阳县辖境并入遂昌县。1982年1月30日,松阳县重新成立,归属于丽水地区。目前,松阳县辖20个乡镇、400个行政村、17个居民区。

二、人文景观

松阳县历史悠久、源远流长,是著名的省级历史文化名城。县区域内历史文化名胜古迹和自然风景区众多。历史文化遗址有被誉为"江南稀宝"的建于公元1002年的(北宋咸平五年)延庆寺塔、建于公元1496年(明代弘治九年)的詹宝兄弟进士牌坊等省级文物保护单位;城隍庙、汤兰公所、黄家大院、青云塔、三济桥、寺口进士牌坊等县级重点文物保护单位;城区内也有不少历史文化保护据点,如浙西南游击根据地,安岱后村的刘英、粟裕故居等。

此外,松阳县境内自然景色十分秀丽。箬寮岘自然保护区拥有万亩原始森林,是珍稀动、植物的天然家园,海拔千米以上的山坡,生长着2000余亩连片的原始猴头杜鹃林;卯山省级森林公园,森林覆盖率为96.4%,有针叶林、针阔混交林等季相变化森林植物景观,有道教真人叶法善修仙之所,有宋王栖避之地等。松阳遵循"生态、休闲、养生"的旅游发展主题,整合山水、民俗、文化、历史等风景旅游资源,加快旅游产业发展,着力打造"浙南桃花源"品牌;松荫溪风景名胜区荟萃塔溪绿涨、双童积雪、玉泉翠华、凌霄岚翠、百仞云峰、石空飞瀑等九大景区。

延庆寺塔

詹宝兄弟进士牌坊

三、名人名家

松阳地区历史名人众多。擅长于写词的吏部尚书、翰林学士、龙图阁直学士叶梦得[1]先生，其词风早年委婉，中期学习苏东坡，后来多感怀国事，晚年简洁。著有《建康集》《石林燕语》《石林词》等著作。道术精深的叶法善（616—720），他在唐朝历经了高宗、武则天、中宗、睿宗等朝50年，始终未失皇帝的尊宠。唐玄宗执政后，更加信任叶法善，称他"有冥助之力"。唐先天二年（713），拜其为鸿胪卿，后又封越国公。但法善不为爵位尊贵所动，仍愿为道士，只是奏请在故乡卯山建道观，唐玄宗准奏，并赐名"淳和仙府"。一贞居士——张玉娘（1250—1276），纪晓岚负责编纂的《四库全书·总目提要》为其立传，近代和现代有许多著名学者对其作品、生平及当时社会进行研究，把她和李清照、朱淑真等人并称为"宋代四大女词人"。还有曾被彭德怀称为"打不死"的抗日名将钟松（1900—1995），以"上继屈宋，下并班马"而闻名的王景（1337—1412），松阳第一位留学生刘德怀（1873—1930），英勇就义的陈凤生（1902—1935）以及博览群书的高焕然（1861—1934）等历史名人。

---

[1] 叶梦得（1077—1148），宋代词人，字少蕴。

第一章 自然生态与人文环境

叶梦得《石林燕语》封页

松阳叶法善雕塑

一贞居士张玉娘雕像

抗日将领钟松

第二章　高腔与松阳高腔

第一节　高　腔

一、高腔释义

高腔旧称"弋阳腔"或"弋腔",是汉族的四大戏曲声腔之一。因起源于江西省弋阳地区而得名。它源于南戏,产生于信州弋阳,是宋元南戏在

弋阳腔——《青风亭·风亭遇子》剧照

信州弋阳后与当地赣语、汉族民间音乐结合，并吸收北曲演变而成。高腔是明代弋阳腔与后来发展的青阳腔之间相互借鉴、演化派生出来的声腔剧种。在几百年的变革发展中，弋阳腔派生出了许多流派。自明代中叶后，弋阳腔开始由江西向全国各地流布，并在各地形成不同风格的高腔，如湖南的长沙高腔、常德高腔、祁阳高腔、辰河高腔，北京的京腔，赣剧高腔，湖北的清戏，四川的川剧高腔，云南的滇剧高腔，以及浙江的西安高腔、西吴高腔、侯阳高腔、松阳高腔，还有广东、福建等省某些剧种中保存的高腔。弋阳腔在与各个地方民间音乐发生不同程度的接触、结合之后，逐渐形成了现今各地不同风格的高腔。高腔以简单质朴的表演、通俗易懂的词曲、激越高亢的唱腔，用一唱众和的演唱方式伴以金鼓击节，表现着独特的艺术魅力。2006年5月20日，高腔经国务院批准列入第一批国家级非物质文化遗产名录。

　　高腔作为弋阳腔的代表，其历史可上溯到宋元时期的南北曲。目前，我们从史料的查询以及所表演、演唱的剧目等方面，都能寻觅到宋元南曲与高腔之间的渊源关系。同时，在伴奏形式和演唱方式上，高腔打击乐伴奏和"帮腔"以及在南曲中展现的"一唱众和"与"不用管弦"同样具有一定的历史渊源。高腔是在对宋元南曲一定程度承袭的同时，对元代北曲也是多方面吸收，才形成当下样式。

二、高腔特征

　　高腔在流传演变的历史过程中，运用一人演唱的"徒歌"加众和的演唱形式，与当地的民间音乐表演密切结合，经过长时间的流变、发展，改腔换调，趋于自由化，因而形成各地不同音乐风格的高腔。明中期至清前期是高腔历史上的黄金时期。但到乾隆年间，梆子、皮黄等花部戏曲兴起之时，高腔在总体上呈衰落趋势。即便如此，仍有十余种高腔剧种留存于南方各地，以川剧高腔、湘剧高腔、祁剧高腔和赣剧高腔较有影响。

　　高腔音乐的表演特征，可以简单地用三个字来进行概括，那就是：帮、打、唱。所谓帮，指在后台帮腔、帮唱；所谓打，指运用打击乐为其演唱伴奏；所谓唱，指的是除了帮腔以外的角色表演之唱。与梆子腔、昆腔、皮黄腔相比，高腔多以"帮腔"为主，传统高腔的"帮腔"通常是由担任打击乐伴奏的乐队的鼓师领帮演唱，其他的打击乐众乐手齐唱称帮。从戏剧的表演角度看，

彩衣高腔

这种帮腔具有渲染戏剧气氛、表现人物内心情感和烘托现场气氛的功能与作用。

高腔唱腔与昆腔一样,同属于曲牌联套体的结构形式。高腔唱腔还有一个极其重要的特点,那就是"滚唱"。滚唱有时也称之为"滚",其表演形式在唱腔中的位置比较自由,通常在表演时运用对偶句的表现形式,其中也不乏长短句的运用。在高腔的表演中,与南北曲曲牌格律(字句格式)完全符合的曲牌已经很少,许多曲牌的体式已经变得相当灵活,甚至有些曲牌因"加滚"而与原曲牌格律完全对不上。滚唱在高腔中的意义不仅局限于对曲牌限制的突破,它对高腔的"自由化"也有着很大的影响。

高腔的唱腔表演在腔调组织运用上采取的是"乐汇拼组"的方法。所谓乐汇拼组就是以乐汇之类的音调片断作为构成高腔音乐的基本材料,再根据具体所唱曲词的字句格律把这些材料拼组起来,通过运用不同"乐汇"拼组成一个个腔句,再通过不同的腔句依次组成一个个曲段、曲牌。

高腔诸剧种表演所用的板式也各自有其特点。浙江不同地区的高腔则往往一种板式运用到底,但在速度上却有或紧或慢的不同变化。湘剧高腔则常以出现切分节奏为特色,形成正规节奏与切分节奏的交替。而川剧高腔的"一字",清唱时用节拍自由的散板,帮腔则为一板三眼,唱与帮之间形成节奏对比。

三、剧种举例

（一）川剧高腔

川剧高腔《肖公杀船》

川剧是包含多种声腔的剧种,其唱腔包括高腔、昆腔、弹戏(梆子腔)、胡琴腔(皮黄腔)、灯戏五种声腔。在这五大声腔系统中,高腔是其中最具地方特色的一种,是川剧表演的主要形式。高腔在明末清初由外地传入四川并有效地结合四川方言、劳动号子、民间歌谣、民间说唱等形式,经过历代戏曲工作者的加工和提炼,逐步形成了具有地方特色的戏曲声腔。其表演不用乐器伴奏而是清唱,即所谓"一唱众和"的徒歌形式,这种表演对演员演唱技巧的要求十分高。它保留了南曲和北曲的优秀传统,兼有高亢激越和婉转抒情的唱腔曲调。川剧高腔属曲牌体音乐体制,曲牌数量众多,形式复杂。它的结构基本上可以概括为:起腔、立柱、唱腔、扫尾。它的剧目多、题材广,适应多种文词格式。它集帮、打、唱为一体。锣鼓曲牌也都是以这种方式组成。有的曲牌帮腔多于唱腔,有的基本全是帮腔,有的只在首尾两句有帮腔,其具体形式由戏剧内容而定。各种声腔早期分班演出,辛亥革命(1911)

后,逐渐汇合在一起。其中高腔曲牌丰富、唱腔动人,地方风格浓郁,是川剧唱腔最重要的组成部分。

川剧高腔传统剧目有"四柱"(《碰天柱》《水晶柱》《炮烙柱》《五行柱》)、"五袍"(《青袍记》《黄袍记》《白袍记》《红袍记》《绿袍记》)、"四大本头"(《琵琶记》《金印记》《红梅记》《投笔记》),以及"江湖十八本"等,还有川剧界公认的不少为其他剧种失传的剧目。1949年后,经过整理,出现了一批优秀的川剧剧目,如《彩楼记》《柳荫记》《玉簪记》等。

(二) 西安高腔

西安高腔《贵妃醉酒》

西安高腔形成于浙江衢州,因衢州古称西安而得名。绵延400余年,是古南戏在衢州一带流传、繁衍而成,是婺剧六大声腔之一的高腔系统(四路高腔)中最古老的一支。它是在弋阳腔影响下形成的地方戏,最迟形成于明代嘉靖年间,以衢州为中心,流传于浙江的温州、金华及江西东南部、福建西北部等地。明末清初时非常兴旺,道光年间达到鼎盛,有20多个鼓板(即戏班)。道光时,因昆腔、乱弹兴起而受到冲击,不得不与之合班演出,称作"衢州三合班",又名"正三合"。道光后,"衢州三合班"有10多个,太平天国时减为六七个,光绪年间剩下4个,民国初年仅为3个。1940年,日寇入侵衢州,最后一个班社"郑荣春"班解散。西安高腔在剧目、唱词、行头、唱法、演出程式等方面具有浓郁的古南戏特征,基本上保留了原汁原味的南戏风貌,受其他剧种影响不大,变化不多。代表作有《槐荫树》《合珠记》《芦花絮》等一批传统剧目。其伴奏乐器原仅用锣鼓伴奏,清道光后与昆腔、乱弹合班演出,受昆山腔和乱弹腔的影响,在保留原音乐特征的基础上加入管弦、昆笛、板胡、提胡等乐器,乐曲也有了简单的过门。现存的西安高腔在唱腔上"大吼大叫",表演上"大蹦大跳",舞美上"大红大绿",乐器上"大鼓大号",乡土气息浓厚。在剧目、行头、唱法、行当体制、演出程序等方面基本上原汁原味地保留了古南戏的风貌,对南戏研究具有重大意义和价值。

近代以来,因战乱不断,西安高腔流散于民间。新中国成立后,地方政府对西安高腔进行了抢救,保存了大量相关资料,上演了部分剧目。但随着现代化进程的加速,西安高腔观众流失严重,人才稀缺,出现了青黄不接的局面,再次面临新的生存危机。

(三)沔阳高腔

沔阳高腔是沔阳花鼓戏四大声腔之一,来源于湖北省江汉平原田间劳动的薅草歌。即农民田间劳作时,为缓解持续繁重劳动的重负,通常使用高亢的音乐音调,和悠扬幽美的旋律来抒发感情减轻疲劳。沔阳花鼓戏吸收

沔阳高腔

高腔时,保留了这种声高且嘹亮的特点。由于旋律优美,抒情性强,男女老少都能哼唱,故群众对之冠以各种俗称雅呼。如"骷髅腔",即高亢、开阔的意思;"枯六腔",意为意调很高,一般好嗓多唱"六"字调;"箍六腔",由于唱腔抒缓,每唱六句唱词落一次板;"栈骷髅",即优美动听的意思。此外,还有"骷髅花鼓"、"骷髅班子"等称呼,是沔阳花鼓戏最有代表性的唱腔之一。高腔善于抒发多种感情,如喜、怒、思、悲、恐、惊等,舒缓时如行云流水,激情时又紧张激烈,故又有"喜高腔"、"悲高腔"、"快高腔"、"慢高腔"等多种区别。[1]

沔阳高腔的行腔处理,字句安排灵活自如,可根据演员自身嗓音条件,剧中人物情感的需要灵活处理;并有男女腔之分,男腔豪放、粗犷,而女腔则优柔婉转。由于高腔善于抒发悲怨深沉的感情,在许多剧目中被作为主要表演形式。

(四)岳西高腔

岳西高腔《秋江》剧照

岳西高腔是安徽省岳西县独存的古老稀有剧种,由明代青阳腔沿袭变

---

[1] 赵娟. 歌剧《洪湖赤卫队》的创作过程研究[D]. 新疆师范大学,2012.

化而来。明末清初,文人商贾溯潜水、长河将青阳腔传入岳西,当地文人围鼓习唱,组班结社,岳西高腔初步成型;光绪初期,外来职业高腔艺人系统传授舞台表演艺术,促成了岳西高腔的进一步发展。岳西高腔艺术遗产丰厚,其戏曲文学、戏曲音乐、表演艺术及基本活动形式都自成体系,风格独特。通过对岳西境内民间抄本的发掘、搜集、整理,已累积剧目一百二十余种、二百五十多出,可分为"正戏"和"喜曲"两类。其中"正戏"占绝大多数,包括《荆钗记》等南戏五大传奇剧目的精彩折子,具有较高的文化品位和文学价值,其最大特征是继承了"滚调"艺术并发展成"畅滚";"喜曲"所唱均为吉庆之词,主要用于民俗活动,是岳西民俗文化的重要组成部分。岳西高腔的音乐体制基本属曲牌联套体,一唱众和,锣鼓伴奏,"唱、帮、打"三位一体,风格古朴。艺人以独有的"箍点"标记指导唱腔,传承艺业。

岳西高腔剧目表演的最大特点,便是大量运用"滚调"。它将传统曲牌结构破开,在曲词的曲前、曲中、曲尾、曲外,自由地增加不拘韵律、句式、字数的唱词和说白。"滚调"的大量运用,带有明显的由曲牌体向板腔体过渡变化的印痕。从音乐方面看,岳西高腔具有声调高锐、人声帮和、以锣鼓伴奏的特点,既古朴喧闹,又委婉抒情。岳西高腔的另一大特色是演唱与民风民俗融为一体,特定的场合必须唱特定的"专题剧目"。如寿戏要唱《庆寿》《讨寿》《上朝》等,贺新屋要唱《观门楼》《修造》《贺屋》等。部分演出还有一定的仪式和程序,形成固定的"戏俗"。比如"闹绣"用于"闹新房",先在大门外唱《观门楼》,进大门后过中厅时唱《过府》,至堂轩落座时唱《坐场》,用过茶烟稍事休息后再进新房。少则十几出,多则几十出,常通宵达旦,尽兴方休。表演分两种形式,其一是"围鼓",属清唱,由五七艺人围鼓而坐,各执一件打击乐器,以鼓板师领头,一唱众和;另一类是岳西高腔表演中居主导地位的表演形式,化装登台演出。岳西高腔的艺人分为正生、正旦、小生、小旦、净、丑、末、夫、外、杂10行角色,扮演剧中人物,基本沿用青阳腔的行当角色体制。

(五)常德高腔

常德高腔为常德汉剧高、昆、弹三大声腔之一。它是在本地原始祭祀歌舞等民间音乐的基础上不断吸收明代弋阳腔、青阳腔等早期戏曲声腔逐渐发展而成,主要流行于西洞庭区、武陵山系、辰水、沅水流域,远及鄂西南和黔东一带,1986年更名为武陵戏。明代万历至清代乾嘉年间是常德高腔最

常德高腔《飞雪迎春到》剧照

为兴盛的时期,此后随着弹腔南北路的兴起而逐渐走向衰落。《祭头巾》《思凡》《两狼山》《双猴斗》《程咬金娶亲》等是常德高腔中的代表性剧目,新中国成立后又出现了《芙蓉女》《紫苏传》等新编高腔戏,演出轰动一时。

常德高腔有三十余种基本腔和七十余种曲牌,演唱形式有滚唱、帮腔等。其中帮腔受沅水船歌、扎排号子音调的影响较大,分人声帮腔和乐器随奏两类,人声帮腔一唱众和,乐器随奏以大锣、大钹和唢呐伴奏。其唱腔与本地方言紧密结合,并融入了大量本地巫腔、傩愿腔、渔鼓调的音乐素材,表现力很强。演唱时有本嗓、边嗓、夹嗓、小嗓等多种表现方法。常德高腔的角色分为生、旦、净、丑四行,其中包括青须、白须、小生等"三生",正旦、小旦、老旦等"三旦",大花脸、二花脸、小花脸等"三净"。

常德高腔表演中"唱念"语音以中州音韵拼读标准与常德方言声调相结合,为了强调人物的地域特点,也兼用一些外地语言。常德高腔特别重视表演基本功的训练,有一套富于表现力的动作程式,此外还从生活中提炼出一些特殊的表演范式,形成模拟飞禽走兽或其他动静物态的身法动作。常德高腔的表演中常会穿插一些精彩的特技,往往能收到引人入胜的演出效果。

(六) 瑞安高腔

瑞安高腔也称温州高腔,一般都认为起源于明末清初,即江南一带花部诸腔开始形成之时。其音乐体系属曲牌体,它的某些曲牌、腔格、旋律与昆曲有相似之处。仙降镇前林村民间老艺人瞿积柳先生曾于1950年改编瑞安高腔,分不托管弦(干唱)的八平高腔与有丝弦伴奏的四平高腔两种。在84本传统的"正统"剧本中,包含《报恩亭》《循环板》《雷公报》《紫阳观》等四本瑞安高腔大戏和若干折子小戏等,实际上远不止此数,然素以此数为高腔曲牌联套体制,曲牌名称大都佚名。

瑞安高腔《雷公报》剧照

瑞安高腔的伴奏乐器以锣鼓、唢呐为主,曲调欢快。在欢快的气氛中,演员按老生、大花、小花、正生、老旦、正旦、青衣旦、文武小生等出场顺序分别亮相。戏有文戏、武戏、花戏之分。"生旦净丑,活现历史忠奸善恶;琴笛鼓钹,演奏人间离合悲欢。"

瑞安高腔一唱众和,演员在台上演唱时,如果是一句七字,句尾一字或三字由后台或台上的乐队帮唱,温州民间称为"夹燥塔"。演唱发声以自然音为主,音调高昂激越,显示出古朴、粗犷的艺术风格。演唱时句句帮腔,帮实字,所帮曲词多寡不定。然有规律可循,即帮每句之尾腔,只一个帮腔层次(帮腔者一齐同帮),帮腔时有翻高八度,尾音往往呈下滑音,帮腔句同时有锣鼓帮扶,兼为同奏过门。

第二节　松阳高腔

一、历史渊源

论及松阳高腔的起源时间问题,在现今所有的研究成果中,出现了各执己见、不能统一的局面。但其中有这样两种说法最具有代表性,一是认为松阳高腔的起源是在我国明末清初之时。这在明清文人的书籍或者文学作品中,有很多相关的记载,比如:在清代四川戏曲理论家、诗人李调元的

松阳高腔发源地——白沙岗村

著作《雨村剧话》中,有很多关于弋阳腔的表述,其中阐明了高腔就是弋阳腔的一个俗名或者说别名。[1]清代诗人李声振的著作《百戏竹枝词》也有类

---

[1]〔清〕李调元《雨村剧话》:"弋腔始于弋阳,即今高腔,所唱南曲。又谓秧腔,秧即弋之转声。京谓京腔,粤俗为高腔,楚蜀之间谓之清戏。向无曲谱,只沿土俗,以一人唱而众和之。"(选自《中国古典戏曲论著集成》第八册第47页)

似的记载。[1]从上述两个文本的记载可以看出盛行于清末民初的弋阳腔因其具有可以"改调歌唱"的特征,因而被许多地方的戏曲艺术表演者用来学习表演,从而形成了当下社会的各类高腔艺术。松阳高腔或许便是在清末民初之际,这种"改调歌唱"的弋阳腔在松阳地区融入当地社会环境的产物。在1981年编撰的《中国戏曲曲艺词典》中,给松阳高腔这一地方性腔调剧种的词条解释是:"松阳高腔是流行于浙江遂昌、龙泉一代,起源于明末清初,盛行于清代光绪年间的戏曲品种。"[2]从中我们可以明确地知道松阳高腔起源于明末清初这一时间范围。在20世纪末出版的《松阳县志》中,认为"松阳高腔是丽水地区唯一的地方剧种,起源于明万历年间,清乾隆至道光年间,颇为兴盛"。这其中的叙述,恰巧印证了第一种说法。

松阳高腔发源地——周安村

---

〔1〕[清]李声振《百戏竹枝词》:"(弋阳腔)俗名高腔,视昆调甚高也。金鼓喧闻,一唱众和","俗名昆腔,又名低腔,以其低于弋阳也"(选自路工主编的《清代北京竹枝词》[M].北京:北京出版社,1962)。

〔2〕中国戏剧家协会上海分会,上海艺术研究会.中国戏曲曲艺词典[M].上海:上海辞书出版社,1981:9.

松阳高腔《鲤鱼记——真假牡丹闹相府》演出剧照

关于松阳高腔的起源还有另外一种说法,这种说法认为松阳高腔的起源应该是早于高腔。在刘建超编著的《松阳高腔音乐与研究》一书的概述中,将其溯至唐代,其文中记载:"松阳高腔起于何时尚待考证。古有道家之唱,源于道观内所唱的'京韵',即道家布道所唱,自唐代至民国时期,松阳民间一直流传。唐代松阳出了一名道士叶法善……松阳高腔的许多音乐渊源于道教音乐,故高腔艺人中就有叶法善,是松阳高腔开创者的流传。"[1],这个记载将松阳高腔的起源时间往前推了将近六七百年的历史。

洛地主编的《中国戏曲音乐集成——浙江卷》对松阳高腔的表述是这样的:从松阳高腔的民间艺人传承关系而论,可以上溯至距今十几代之前,且在这时已经有了专业的班社在当时的社会中进行表演活动,有史可循生于明末的民间艺人是李凤相。另据刘建超《松阳高腔》中云:"松阳高腔自叶法善开创之后,历代久演不衰,元明清时期的职业化班社名称已经失传,自清朝乾隆后才有文字可以查询,白沙岗高腔班,现在已是第22代传人了。"[2]这些材料将松阳高腔的形成推至最迟出现在明末,也就是说松阳高腔的形成时期要比明末清初更早一些。此外,杨建伟、钟秀球、张敏桦等研究者也认为对松阳高腔的源流问题的研究和探讨,不能因为松阳高腔的命名中有"高腔",而直接将其归于高腔系统,指出,对松阳高腔的研究应该结合其历史、地理、文化等各种因素综合考量。

---

[1] 刘建超.松阳高腔音乐与研究[M].北京:中国民族摄影艺术出版社,2008:1.
[2] 刘建超.松阳高腔[M].杭州:浙江摄影出版社,2009:3.

松阳高腔《磨豆腐》演出剧照

然而,洛地在《戏曲及其唱腔纵横观》中提出不同的观点,他认为:"高腔是自元曲进入明朝之后又北曲腔化而成,即高腔与北曲之间是存在着共同的元素。"近年来,经过更多的研究者深入的研究、分析、归纳之后,提出高腔应是宋元南戏的当代遗存。周大风的《浙江地方戏曲声腔脉络》中认为:所有高腔的脚本均是沿用了宋元南戏及杂剧,并与当地民歌有效地结合然后掺杂南北曲牌的名称,改调演唱从而产生的一种戏曲声腔。陆小秋和王锦琦在对江苏、安徽、江西以及对浙江的西吴高腔、西安高腔、侯阳高腔、调腔、宁海平调、台州乱弹、醒感戏、瓯剧以及松阳高腔这几种剧种中的高腔进行调查研究后,在撰写的《论高腔的源流》[1]一文中认为:"各种高腔的同名曲牌(个别被改头换面或搞错名称的除外),都是在早期南戏曲牌音乐的基础上,按照依腔填词的创作方法填上新词,演唱时又根据新唱词的感情色彩及词句、字数、平仄等方面的变化,以及当地群众的欣赏习惯和要求,结合方言并吸收当地的民间音调入腔,进行再创作的产物。高腔音乐主要继承了南曲的传统……因此,高腔音乐源于南戏。"此外,徐宏图在其著作《南戏

---

[1] 陆小秋,王锦琦.论高腔的源流[J].戏曲研究,1994(01).

遗存考论》[1]中,较为系统详细地论述了弋阳腔的源流,并对其与松阳高腔的关系问题表达了自己独特的观点。

基于此,笔者认为,对松阳高腔的研究应不应该划入高腔的范畴,不单单是看历史、文化、地理等因素,而且也要看其戏曲唱腔的旋律、节奏、节拍、调式、调性、曲式结构、过门、伴奏等因素,具不具有高腔的特征,和其他高腔有什么异同。以上对于松阳高腔起源问题的研究分歧,使得对于松阳高腔的历史起源问题的探讨,更具备学术价值和现实意义。

二、发展进程

东汉建安四年(199),松阳县制建立,属会稽郡。东晋隆安三年(398)11月,晋安帝亲书"松阳郡"并赐赖氏。隋大业十二年(616),道教法师叶法善(松阳人氏)诞生。大业三年(607),松阳属永嘉郡。唐开元八年(720),叶法善逝世。晚年曾带回道教(宫廷)音乐给家乡人民,并在家乡建观,唐玄宗赐名"淳和仙府",并高筑戏台做"道场",其音乐称道教音乐,亦称"道士调"。松阳高腔艺人长期有"叶法善是松阳高腔开创者"之流传。唐开元二十七年,唐玄宗作《叶尊师碑记》以悼。南宋,王子敬在《花村戍鼓》诗中描述演戏状况:

> 红巨翠陌连西东,软尘十里吹香风。
> 尝春醉归吟未毕,耳根厌听鼓冬冬。
> 吟成独衣阑干立,雷撼霆轰鸣转急。
> 须臾挺尽寂无声,唯见月高花露湿。

——《松阳县志·艺文卷》

宋元人丘长春著的《三度碧桃花》,剧中就有曲牌"松阳调"。古时,松阳高腔被称为"松阳调"(艺人流传)。松阳高腔班社遍布县城、乡村,并各处演出,形成职业班社,艺人中有道士参加并传承(注:宋、元期间演戏只有传说,没有艺人姓名留下来);明代,据87岁的松阳高腔老艺人(1949年从艺)李柏宪(献)等人说,按前辈艺人的传说,明代著名松阳高腔艺人李凤相所在的班社艺人,已经是松阳高腔第若干代传人了。按松阳县"白沙冈松阳高腔班

---

[1] 徐宏图.南戏遗存考论[M].北京:光明日报出版社,2009.

社"历代艺人的辈分排行——元、缘、通、雨、记、龙、佛、炳、德、郡、凤、志、长、永、世、发、起(启)、进、宋、宗、仁、义、家(各辈分都有演戏的艺人)——来看，已经有二十二代传人了。李柏宪(献)等艺人还说：在这二十二代传人前，还传说有人演戏,明代的李凤相演戏之技巧至今仍传为佳话。当时,县城和乡镇村松阳高腔班社遍布，且大部分松阳高腔班社为职业性演出班社。明代,在县城周边的北山、黄庄、潘坑等地，采用"科班"的形式。演出前,先花一百天或更长一些时间来排练松阳高腔需上演的剧目,当地人俗称"百日戏"。此时(或更早些年代),松阳高腔班北上安徽，南下福建，西至江南,东至沿海地区演出。

清初,周安、大岭里、枫坪、大畈、唐周、山乍口、周岭根、黄岗、北山、黄庄、潘坑与县城、古市、王岩等地均采用"科班"即"百日戏"的排演训练学员办法,并仍以浙、赣、皖、闽四处的城乡为演出主要地方。著名戏曲班社是"新聚堂"松阳高腔班(乾隆九年,1744),班主洪金盛、季起养。洪金盛,职业演员,各种角色均能演,"科班"出身,演戏之余,从事竹、木生意;季起养,职业演员,"科班"出身并以"科班"形式培养学员,演戏之余,从事竹、木生意或种田。

乾隆至光绪年间全县有十几个职业班社,另有木偶班社,均演松阳高腔,到浙、赣、皖、闽四省的广大城乡演出。主要班社有"玉沙冈(白沙冈)高腔班"、"唐周高腔班"、"周安高腔班"、"大畈高腔班"、"大岭里高腔班"、"山乍口高腔班"、"枫坪高腔班"、"黄庄高腔班"、"新聚堂高腔班"、"庆福高腔班"、"新庆福高腔班"、"项云湘高腔班"、"上河荣林高腔班"、"大福建高腔班"、"秀和高腔班"、"庆聚堂高腔班"、"项妹儿高腔班"、"潘山头高腔班"等。

乾隆甲申年间,松阳高腔白沙冈班社主要演员有：李起盖、李起盛、李起淳等。该班社自乾隆经嘉庆至道光年间(1764—1850),历经数代艺人传承。三位艺人均为职业班社的演员。李起盖为班主,以"科班"形式排戏育人。另有"庆福班"、"新庆福班"、"项云湘班"、"大福建班"等松阳高腔班社。乾隆五十四年(1789)又增"庆聚堂班"、"秀和班"等班社。松阳县谢村乡的"大岭里高腔班"经道光、咸丰至同治六年(1867),因在桐庐县演出时发生斗殴事件伤及人命之故,回乡后停演。

道光至咸丰年间,周安村吴宗选、吴宗亮创办了高腔班。项妹儿创办了

"项妹儿松阳高腔班"。三位班主原分别在"庆聚堂"、"秀和班"、"大岭里高腔班"演过戏(学并演)。各高腔班均四处演松阳高腔剧目,足迹遍及毗邻省及本省各市县,以"科班"形式培养学员。业余时间从事竹、木加工器具买卖生意。

光绪至宣统至民国初年,除乾隆至光绪年间的"大岭里高腔班"停演(1867)外,1875—1911年间,另有"蔡德高腔班"(古市镇)、"丁坑高腔班"等松阳高腔班创办职业班社并在各地演出。民国时期松阳高腔班社有松阳县内的"白沙岗高腔班"、"唐周高腔班"、"蔡德高腔班"、"荣林高腔班"、"山乍口高腔班"、"丁坑高腔班"、"潘山头高腔班",武义县的宣平(原县制)李村也创办起松阳高腔班。

三、班社名角

(一)枫坪松阳高腔班

枫坪松阳高腔班由季起养(1805—1871,从艺四十余年)任管住,主要艺人有:叶增鹤(正生、花旦)、叶樟南(小生)、符玉礼(贴旦)、符昌榜(老生)、叶育眼(浑名,原名佚,老旦)、叶登荣(净)、符昌华(丑)、符周书(正旦)、叶焕洋(正生)、叶赞杨(正生)等。

(二)山乍口高腔班

山乍口高腔班由季起养徒弟叶增鹤任管主,主要艺人有张光庆(花旦,出外省及本省大部分地区演出,在处州演出时,太守送给他耳环、首饰等物,并收他为义子)、李元奇(老旦)、李纪予(小生)、李源隆(旦)、张万积(正生)、张万生(正生)、李源义(小生)、李源望(大花)、毛弦土(丑)、符玉彩、符玉献(旦)、周连庆、周连根(乐队)等。

其中符玉彩的徒弟符坛德(1895—1961)(花旦、正旦)是松阳高腔历史上著名的演员。符坛德与周关根在武义县的李村教过松阳高腔戏。叶增鹤还在"白沙冈高腔班"教过戏。

(三)清代白沙冈高腔班

清代白沙冈高腔班主要艺人有李荣伦(花旦)、李荣仁(老外)、李仁根(小生)、李金土(大花)、李林焕、李德根(小生,丑)、李高森、李宗元、李进和、李进礼、李宗文、李宗寿、李永基、李富土、徐光前(丑)、叶关川(生、丑)、吴银贵(小生)等。

（四）康周高腔班

康周高腔班主要艺人有潘金根（丑）、王小亮（丑）、王养发（鼓堂或散手）、王帮达（乐队）、周大根（乐队）、周起（乐队）、周弦根（乐队）、叶木水（生）、王金亮（正旦）、叶发珑（正旦）、李启根（丑）、李根土（净）、翁足兴（生）等。

（五）潘山头高腔班

潘山头高腔班主要艺人有洪金盛（班主、净）、洪亭祥（小生）、洪定祥（旦）、洪金基（金盛之哥，教书职业，兼教戏）。洪金盛曾教戏于白沙冈高腔班，是李荣化、李荣伦的师父。该班社曾到萧山、诸暨、建德、富阳等地演出。该班社艺人除职业性演出外，业余时间兼作篾业，培植香榧农产品。

（六）上河荣林高腔班

从清光绪至中华人民共和国成立后仍演出的荣林高腔班，在历史上曾红极一时，该戏班有演职员 70~80 人。上河村临近县城，荣林高腔班艺人名角云集，好戏（能演大部分剧目）连台，设备齐全（据艺人传说，戏箱要用十多辆手拉车拉），到本省其他地区与外地剧团角夺斗艳时，常常取胜。

主要演员有：徐日荣，山甫人，花旦，嗓音漂亮，曾在"白沙冈高腔班"、"唐周高腔班"演戏；徐鸿元（1890—1958），徐日荣之子，随父学戏，唱、做、念、打全面，是松阳高腔历史上最著名的演员之一，1953 年，作为松阳高腔代表加入了金华地区戏剧协会。还有徐光显、徐光福、徐光寿（演员）、徐应榜（乐队）、徐应招（管散箱）、李林焕、符坛德、李德根、李高森、周关根、李金土、叶德源、叶樟根（小生、丑，晚年教戏于白沙冈高腔班）、叶林根（花里）、叶樟源（正生、小生）、龚大根（小生）、郑养星、郑火养、郑水金、郑关德、郑李富等。

该班集中了徐鸿元、李林焕、符坛德、李高森、叶樟根等一大批松阳高腔的历史名艺人。这几位艺人后来均到"白沙冈高腔班"与"周安高腔班"教戏，现在白沙冈与周安高腔班的老艺人吴大水、吴陈俊、李宙宪（献）、吴关远、吴叶法、吴利发均为他们的徒弟或是他们徒弟的徒弟。

松阳高腔著名乐师为吴必森（正吹）、符庆鹰（鼓堂、正吹）。其徒弟有：叶长喜（正吹）、符永保（副吹）、毛福庆（鼓堂、正吹、副吹）、毛世宫（副吹）、叶根发（正吹）、李和根（正吹）等。

（七）新中国成立以来的班社与艺人

1949 年，李林焕、李高森在白沙冈村重办松阳高腔"新庆高腔班"。

松阳高腔老艺人(右起:吴大水,吴陈俊,吴叶法,吴水法)

1950年,徐鸿元、符坛德、叶樟根等在周安村教戏。

1978年,周安村吴大水、吴陈俊等发起并重建"玉岩松阳高腔剧团"。

1980年,被县文化局命名的"玉岩松阳高腔剧团"成立。

1980年,白沙冈村李宙宪(献)等艺人重建"新岗(白沙冈村村名易名)松阳高腔剧团"。

2006年,周安与新岗(白沙冈)合办松阳高腔剧团,到全省各地演出传统剧目100余场。

2007年,周安与新岗(白沙冈)两地分手,各操原"周安松阳高腔剧团"、"白沙冈松阳高腔剧团"之名。

2003年,县城西屏镇创办"松阳县西屏镇戏曲学唱队",2009年易名"松阳县西屏镇戏曲学唱团",2010年改为"松阳县西屏镇戏曲演出团"。主演松阳高腔,兼演婺剧、越剧。由刘建超编剧、作曲、导演的新编松阳高腔历史古装剧《张玉娘》和新编松阳高腔历史神话剧《叶天师传》分别于2009年国庆节、2010年"中国武义·叶法善国际学术研讨会"期间上演。

第三章　活态现状与研究叙事

第一节　活态现状

　　起源于宋元南戏、兴盛于清乾隆年间的松阳县玉岩镇白沙岗村和周安村两地的松阳高腔,在历史的发展中一度被人称为"白沙岗之土调",随着历史的发展和演进,距今已传承至第 23 代了。它流行的区域主要是在浙南山

松阳高腔《夫人戏》剧照

区,是浙江省八大高腔之一。松阳高腔经历代高腔艺人的不断创新与改革,使其与当地的山歌、民谣、道教音乐、小调糅杂在一起,既体现了松阳高腔豪放与粗犷的艺术特色,同时,又具有南戏的细腻、清亮和柔美,成为了具有独特色彩的地方性剧种。松阳高腔原有剧目《金印记》(苏秦)、《白兔记》(刘知远)、《脱靴记》(班超)、《琵琶记》(蔡伯喈),即"苏、刘、班、白"为当家大戏,在浙江地方八大高腔体系中具有独特的艺术特征。现存剧目有四十多个,《夫人戏》《三状元》《白蛇记》《八仙桥》《买水记》《八仙偷桃》《送米》《鲤鱼记》《火珠记》《聚宝盆》《赐神剑》《酒楼杀家》等是其代表作。这些剧目基本上"保留了戏曲的原始状态,样式质朴、表演自然、地方特色浓郁",受到戏曲界的关注,被众多专家学者称为"戏曲的活化石"。2006年松阳高腔获"国家首批非物质口头文化遗产保护项目"。

松阳高腔演出现场

松阳高腔历经几百年的发展,以其优美的音乐和动人的戏剧内容为广大群众所喜爱。在发展过程中虽几度盛衰,但现今仍然活跃在民间。

白沙冈艺人分别在1949年10月、1953年7月、1980年初多次重建松阳高腔剧团,曾称"新冈松阳高腔剧团"。"白沙冈松阳高腔剧团"所演剧目有《夫人戏》《金印》《白兔记》《脱靴记》《琵琶记》《白蛇记》《白鹦哥》等当家大戏,另有《耕历山》《拾义记》等共计近四十个高腔传统剧目。这些剧目均以

松阳高腔乐队演奏

口授或手抄本传世。其中清乾隆四年（1739）的《拾义记》现藏于中国戏曲研究所。该剧团演职员大多数是白沙冈村村民，也有少数是其他乡镇的农民。这些演职人员有些常年外出，靠打工或经商以维持生计。

20世纪50年代定名为松阳高腔后，1959年，浙江婺剧团曾邀请松阳高腔艺人进行演唱录音，为保存传统的音乐文化留下了部分极其珍贵的资料。同年浙江婺剧团编排演唱松阳高腔小戏《磨豆腐》，深受当地群众的喜爱。遂昌县文化馆在改革开放之初，以枫坪、周安、玉岩等村庄的一批中年艺人为主，创立了业余高腔剧团，并组织排练了传统的高腔剧目《卖水记》《摇钱树》《夫人戏》《合珠记》《耕历山》等十八本大戏和一些散折小戏，为浙南山区人民的文化生活增添了色彩、添加了乐趣，这一时期的排演实践也为该剧种在现代的发展积累了一些宝贵的经验。1978年秋，"周安松阳高腔剧团"中的吴大水、吴陈俊等人发起并筹集资金招收学员，组织成立了以周安、玉岩等地的一批中年艺人为主体的业余高腔剧团。1980年，县文化局将其命名为"玉岩松阳高腔剧团"，由吴大水、吴陈俊分别担任正副团长。"白沙冈松阳高腔剧团"在1980年后，演职人员大都保持在20多人左右，直到现在。剧团年龄最大的是老艺人李宙献，87岁时还任该剧团负责人，擅长生、净等角色，导演了多本大戏与小戏（于2010年去世）。

丽水地区创作的松阳高腔《八百两》，在1981年参加了浙江省业余文艺会演,获得大家一致好评,省广播电台曾屡向全省播放,影响面不断扩大。松阳县恢复建制后,1982年松阳文化馆和县文化局帮扶成立了玉岩高腔剧团,与此同时,白沙冈村办的戏班也受到了政府的帮助。1985年浙江音像出版社出版了该剧唱片(DB—I0027),松阳高腔的影响力在浙南地区进一步扩大。

1998年浙江省在温岭举办"稀有剧种"演出会,洪永娇和吴关妹等5名周安剧团人员参演,上了一个折子戏——《真假陈十四夫人》,其演出时间不过短短的12分钟,但整个过程却耐人寻味。松阳高腔在2001年被浙江省档案馆列为浙江省首批重点文献资料收集单位的十二个项目之一。

松阳高腔《三状元》剧照

2002年6月,浙江电视台钱江都市频道《大家》栏目组为大力宣传传统的高腔音乐文化,专程奔赴玉岩镇白沙岗村进行调研采访,对从艺多年的高腔艺人进行了专访;同年8月,《丽水日报》的记者也专程采访了高腔艺人,刊出了特稿。这些活动,为松阳高腔的宣传与保护起到了积极的作用。再后来,政府和文化主管部门多方位、多渠道、高层次地对松阳高腔音乐文化进行有效抢救和切实保护,并邀请有关专家为此出谋划策。2003年以后,演出逐渐减少,每年保持在50至60场左右。

松阳高腔《真假牡丹闹相府》剧照

至 2003 年 12 月,松阳县文化部门以政府配套补助作为保护发展的杠杆,大力扶持和发展高腔剧团,并努力为剧团的发展筹措资金,激励演员演出集资,并向社会募集资金和拉有关单位赞助,购置了新的演出服装和演出道具,基本满足了演出的需要。为此,松阳高腔艺人们的演出情绪十分高涨。2004 年春节期间,松阳高腔剧团经过长时间的排演后,到邻近各乡村进行演出 40 余场,极大地丰富了周围山村群众的节日文化生活,同时也为即将消失的松阳高腔注入了新的活力。在政府和松阳高腔艺人以及整个松阳地区人们的努力和支持下,松阳高腔被列入了浙江省民族民间艺术保护工程第一批重点项目。2005 年 6 月,松阳高腔被列入省政府公布的首批非物质文化遗产代表名录。2006 年 6 月,国务院公布松阳高腔等为首批非物质文化遗产代表作。这些举措既拉开了民族文化艺术保护工程的序幕,又推动了进一步深入挖掘、整理、探索、分析、研究松阳高腔这一被戏曲界誉为"戏曲活化石"的进程。这一结果也极大地鼓舞了高腔艺人们。他们中的几位 80 高龄的老松阳高腔艺人,本着对传统高腔音乐文化的敬重,极力将自己所掌握的技能和剧目认真传授给下一代,希望新一辈能将这古老的艺术发扬光大。也正是由于这么一批新老艺人对松阳高腔的满腔热情,加之政府的重视和有关部门的支持,才使松阳高腔的发展有了希望和生机。

2007 年开始,在中共松阳县委、县政府、县文化广电新闻出版局、县文联、县教育局等积极支持下,在松阳高腔剧团所在地——玉岩镇的中小学实行音乐课教学松阳高腔的试点工作,取得了明显的效果。该镇的学校曾编排松阳高腔节目,参加全县中小学师生文艺汇演,师生们掌握松阳高腔的艺术技巧虽然有限,但这是非常理想的起步。在现有的教学材料中增加松阳高腔的教学内容,探索音乐教学的新路子,使非物质文化遗产在学校的百花园里生根、开花、结果,松阳高腔的传承就不会有问题。这说明只要有一批青少年能不断学习,松阳高腔的发展就有广阔的前景。只有让青少年更多地掌握像松阳高腔这样具有区域特色的民族民间艺术,才能在将来树立起民族的自信心,才能够为继承和发展中华文化努力奋斗,实现中华民族的伟大复兴。

2008年1月,浙江省文化厅授予该剧种代表性的传承人中,李依娜(女)是年龄最小的,只有20岁,以40~60岁的中老年艺人居多,20~30岁的艺人共有两人,30~40岁的艺人有6位。陈春林因多年担任松阳高腔剧团的负责人,从艺高腔演出有二十多年的历史,擅长净、生角色,为重振该剧团做出了积极努力,在2008年1月,被文化部授予该剧种代表性传承人。

刘建超与(中)松阳高腔艺人李宙宪(右)、李宙法(左)在查阅剧本

"周安松阳高腔剧团"中的吴陈俊,从艺松阳高腔四十多年,2008年1月被浙江省文化所授予该剧种代表性传承人。次年,被文化部授予该剧种代表性传承人。该剧团另有两位老艺人,一位是吴叶法,擅演净、老生等角色;一位是吴利发,擅演丑角。该剧团演职员大多数是周安村村民,少数演职员为其他乡镇的农民。该剧团中年演员并担任团长的吴陈基,因被乱石压伤不幸逝世。他从艺近二十年,擅长净角,为开展演出活动做出了不懈的努力。他于2008年1月被文

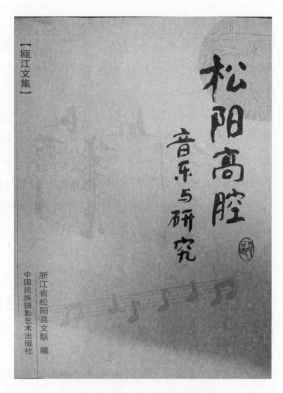

《松阳高腔音乐与研究》封页

化部授予该剧种代表性传承人。该剧团30多岁的演职员共有3人(包括乐队1人),40岁至50多岁的演职员有14人,60岁至70岁的1人,70岁以上至80多岁的现还有3位。1978年重新成立松阳高腔剧团后,每年冬春两季,坚持在松阳、龙泉、遂昌、丽水、武义等毗邻山区巡回演出。

改革开放以来,该剧团恢复上演了传统剧目《夫人戏》《耕历山》《火珠记》《八仙桥》《贺太平》《合珠记》《卖水记》《造府门》《三状元》《赐神剑》《拜刀记》《鲤鱼记》《黑蛇记》《摇钱树》《黄金印》《九龙套》等16个正本戏和《五台会兄》《判乌盆》《拿夫造城》《三闯辕门》《奔走樊阳》《良桥分别》《班超留任》《安安送米》《三世因果》《祁老颁兵》《老包水牢》《全呆卖布》《卖棉纱》等14个小戏或拆剧(其他全本大戏中的一部分内容)。

最近几年关于松阳高腔的理论研究也有很大进步,出版了《松阳高

腔》[1]《松阳高腔音乐与研究》[2]两本书及一系列学术研究文章。学术探讨使松阳高腔完整地体现出一个国家级非物质文化遗产本质的价值。保护好这一国家级非物质文化遗产，今后还有很长的路要走，我们应该清晰地认识到自己的重任。

目前，笔者了解到，松阳高腔作为松阳县的戏剧文化精品，已经引起了松阳县委县政府的高度重视。松阳县政协委员刘建超是最先提出抢救松阳高腔的人。在他的呼吁下，松阳县委成立了"松阳高腔研究会"，任命刘建超为研究会会长，开始了抢救高腔的行动。松阳县档案馆、文物馆、文联、新老文史工作者等，都投入了抢救高腔的行列，如调查、收集有关高腔的文史资料，对一些散落于民间的手抄本和图片进行修复、整理和复制等。

第二节　研究叙事

近年来，相关松阳高腔的研究者和研究内容日趋增多，这些研究者根据自己不同的喜好呈现研究的角度也不大相同。有的用田野调查的方法、有的运用文献检索与解读的方法、有的利用类比的方法等，他们通过这些方法细致地考究与分析松阳高腔及其内核与外延，使其完美地呈现出理论内容。杨建伟的《南戏寻踪——南戏现代遗存考》[3]从南戏演化发展的角度，去寻觅南戏在当下的音乐形态，根据南戏固有的本体特点，发现松阳高腔的很多特点与南戏是相符合的；刘建超编著的《松阳高腔音乐与研究》，集中地介绍了松阳高腔的音乐部分和曲牌部分，书中乐谱详细；刘建超编著的《浙江省非物质文化遗产代表作丛书——松阳高腔》[4]从传承与保护非物质文化遗产的角度对松阳高腔进行研究。此外，著作类还有洛地主编的《中国戏曲音

---

[1] 刘建超.松阳高腔[M].杭州:浙江摄影出版社,2009.
[2] 刘建超.松阳高腔音乐与研究[M].北京:中国民族摄影艺术出版社,2008.
[3] 杨建伟.南戏寻踪——南戏现代遗存考[M].杭州:西泠印社出版社,2007.
[4] 刘建超.浙江省非物质文化遗产代表作丛书——松阳高腔[M].杭州:浙江摄影出版社,2009.

乐集成(浙江卷上)》[1]、吕鸿编著的《处州文化与地方文献》[2]和徐宏图编著的《南戏遗存考论》[3]等,这些著作中都或多或少地对松阳高腔进行了研究。

而相关内容的期刊文献有《戏曲界的活化石:松阳高腔》[4],刘明明的《松阳高腔的历史流变与本体形态研究》[5],王沥沥的《赣剧两路高腔的音乐源流分析》[6],张敏桦的《松阳高腔考》[7],马华祥的《弋阳腔源流考》[8],钟秀球的《松阳高腔剧种史音乐源考》[9],王建武的《对松阳高腔之源的初步梳理》[10],吴伟松的《松阳高腔文武场音乐溯源》[11],钟郁芬、叶高兴的《松阳高腔的前世今生》[12],这些文章主要是针对松阳高腔的源流进行研究,为松阳高腔追本溯源探求归宿进行了不遗余力的研究;何晶的《浅析地方戏曲唱腔特点与课堂教学的巧妙融入》[13],刘明明的《古老戏种,活态传承——松阳高腔活态传承状况及衬字衬腔研究》[14],王建武的《论松阳高腔唱腔曲牌的表现方式》[15],王建武的《松阳高腔打击乐初探》[16],潘银燕的《刍议松阳高腔唱腔中帮腔加入打击乐的表现形式》[17],罗涛的《浅谈松阳高腔唱腔词格与唱腔音乐的关系》[18],谷慧香的《松阳高腔》[19],张敏桦的

---

[1] 洛地.中国戏曲音乐集成(浙江卷·上)[M].北京:中国戏曲出版社,2002.
[2] 吕鸿.处州文化与地方文献[M].杭州:浙江大学出版社,2010.
[3] 徐宏图.南戏遗存考论[M].北京:光明日报出版社,2009.
[4] 戏曲界的活化石:松阳高腔[J].浙江档案,2013(12).
[5] 刘明明.松阳高腔的历史流变与本体形态研究[D].浙江师范大学,2012.
[6] 王沥沥.赣剧两路高腔的音乐源流分析[J].天津音乐学院学报,2011(03).
[7] 张敏桦.松阳高腔考[J].黄钟,2006(S1).
[8] 马华祥.弋阳腔源流考[J].戏剧艺术,2006(04).
[9] 钟秀球.松阳高腔剧种史音乐源考[J].中国音乐,2006(03).
[10] 王建武.对松阳高腔之源的初步梳理[J].丽水学院学报,2006(01).
[11] 吴伟松.松阳高腔文武场音乐溯源[J].音乐探索,2005(03).
[12] 钟郁芬,叶高兴.松阳高腔的前世今生[J].浙江画报,2013(04).
[13] 何晶.浅析地方戏曲唱腔特点与课堂教学的巧妙融入[J].大舞台,2012(01).
[14] 刘明明.古老戏种,活态传承——松阳高腔活态传承状况及衬字衬腔研究[J].音乐大观,2011(11).
[15] 王建武.论松阳高腔唱腔曲牌的表现方式[J].音乐探索,2011(02).
[16] 王建武.松阳高腔打击乐初探[J].大众文艺,2011(07).
[17] 潘银燕.刍议松阳高腔唱腔中帮腔加入打击乐的表现形式[J].黄河之声,2011(05).
[18] 罗涛.浅谈松阳高腔唱腔词格与唱腔音乐的关系[J].中国音乐,2010(02).
[19] 谷慧香.松阳高腔[J].浙江档案,2008(11).

《松阳高腔的甩腔研究》[1],杨建伟的《探析松阳高腔的帮腔特征》[2],王建武的《松阳高腔唱腔中衬腔的表现形式与语音分析》[3],王建武、钟秀球、张敏桦的《松阳高腔唱腔中甩腔的基本特性与表现形式》[4],钟秀球、王建武、张敏桦的《松阳高腔曲牌的音乐特征》[5]等文章,从松阳高腔的唱腔特点、曲牌特点、衬腔方法、帮腔技巧、甩腔表现等诸多方面对松阳高腔进行研究,为松阳高腔的本体研究与探讨提供了理论支持;张大军的《婺剧高腔中的西安高腔音乐研究》[6],王加南的《婺剧六大声腔的音乐特点》[7],王建武、张艺的《松阳高腔与松阳民间音乐关系探微》[8],徐宏图的《浙江的道教与戏剧》[9],管云的《南戏遗音——松阳高腔音乐探微》[10]等研究,较多地注重松阳高腔与其他音乐文化的关系以及其所处的社会环境等方面的研究;此外,王建武的《松阳高腔研究现状叙事》[11],叶志良的《中国婺剧的文化定位》[12],叶涛的《浙江非物质文化遗产图录:民间戏曲松阳高腔》[13],王建武的《松阳高腔活态传承亟待保护》[14],王建武的《松阳高腔活态存在的田野调查》[15],王建武的《对松阳高腔生态现状的思考》[16],张涛的《松阳高腔传承基地在玉岩镇挂牌》[17],毛丽君的《对松阳高腔地方艺术档案建设的思考》[18],杨卫中的《松阳高腔"重出江湖"》[19]、《山野闲花,古腔古

---

[1] 张敏桦.松阳高腔的甩腔研究[J].黄钟,2008(03).
[2] 杨建伟.探析松阳高腔的帮腔特征[J].丽水学院学报,2007(04).
[3] 王建武.松阳高腔唱腔中衬腔的表现形式与语音分析[J].中国音乐,2006(02).
[4] 王建武,等.松阳高腔唱腔中甩腔的基本特性与表现形式[J].中国音乐,2004(01).
[5] 钟秀球,王建武,张敏桦.松阳高腔曲牌的音乐特征[J].中国音乐,2003(03).
[6] 张大军.婺剧高腔中的西安高腔音乐研究[D].浙江师范大学,2011.
[7] 王加南.婺剧六大声腔的音乐特点[J].戏曲研究,2009(01,02).
[8] 王建武,张艺.松阳高腔与松阳民间音乐关系探微[J].南京艺术学院学报,2006(01).
[9] 徐宏图.浙江的道教与戏剧[J].杭州师范学院学报(社会科学版),2005(06).
[10] 管云.南戏遗音——松阳高腔音乐探微[J].乐府新声(沈阳音乐学院学报),2003(02).
[11] 王建武.松阳高腔研究现状叙事[J].文艺争鸣,2011(08).
[12] 叶志良.中国婺剧的文化定位[J].戏曲研究,2009(01,02).
[13] 叶涛.浙江非物质文化遗产图录:民间戏曲松阳高腔[J].浙江艺术职业学院学报,2011(03).
[14] 王建武.松阳高腔活态传承亟待保护[N].光明日报,2011-04-06.
[15] 王建武.松阳高腔活态存在的田野调查[J].交响,2011(01).
[16] 王建武.对松阳高腔生态现状的思考[J].丽水学院学报,2007(06).
[17] 张涛.松阳高腔传承基地在玉岩镇挂牌[N].丽水日报,2007-11-12.
[18] 毛丽君.对松阳高腔地方艺术档案建设的思考[J].兰台世界,2007(12).
[19] 杨卫中.松阳高腔"重出江湖"[N].浙江日报,2006-01-12.

调——新昌调腔艺术档案和松阳高腔艺术档案介绍》[1]，陈景娥的《原始形态的松阳高腔》[2]，王文杰的《高山深处最后一段声腔》[3]，丁红梅、李梅的《松阳高腔管窥》[4]等，有的切中它与文化的传承方面，有的切中文化的保护方面。这些研究多认为松阳高腔的起源应早于明末清初，并有很多与田野调查相结合和文献史料相印证的论述。其主要的内容共有以下几点：第一是根据艺人回忆，认为白沙岗高腔班的最早创建者李凤相的出生为明万历年间，从而进行分析与推测，认为这一时期既然能形成班社，那么其高腔的形成要远远早于此时，因此，松阳高腔的生成应当早于明末清初这一历史时期。另外根据谷慧香调查的考证，在元末明初，就有松阳高腔戏班在这一带活动，这些班社一般都是在进入农闲的冬季组建班社，经过整个冬天的排演，在第二年开春时开始演出。根据这一考证，便可以更加肯定松阳高腔的

松阳高腔剧本《合珠记》

起源早于明末清初的推测。第二是通过对松阳高腔自然地理分布的研究与分析，认为松阳自古与南戏发源地之永嘉有着从属或相邻的紧密联系，因此，在戏曲文化方面推测这一地区的文人与艺人之间的交流，也应当较之其他区域更为频繁。若说温州永嘉是戏曲最早的生成之地，作为相邻的松阳便不可避免地受到影响。第三是通过对松阳高腔的表演形式、演唱曲牌、唱

---

[1] 山野闲花,古腔古调——新昌调腔艺术档案和松阳高腔艺术档案介绍[J].浙江档案,2003(06).

[2] 陈景娥.原始形态的松阳高腔[J].戏曲研究,2002(01).

[3] 王文杰.高山深处最后一段声腔[J].戏文,2002(01).

[4] 丁红梅,李梅.松阳高腔管窥[J].浙江师范大学学报,1998(01).

腔衬词、剧目的研究,发现其都与永嘉南戏存在着各种隐性的联系,部分研究者认为松阳高腔应是永嘉南戏在现代的遗存。这一大胆的推测虽未得到真实材料的佐证,但毕竟是对松阳高腔研究向前推进了一大步。根据明代徐渭《南词叙录》所载:"宣和间已滥觞,其盛行自南渡,号曰'永嘉杂剧'又曰'鹘伶声嗽',今所谓市语也。"而《中国戏曲志·浙江卷》之丽水卷中也有相关记载:"鹘伶",宋人对温州、栝州一带优伶的称呼,"鹘伶声嗽"亦即"栝伶声嗽"。由此可知温州与栝州的紧密关系,其中永嘉隶属温州,而松阳自唐武德四年(621)至"民国"元年(1912)均属于栝州(或称处州)管辖。以递进思维进行思考的话,上述材料为我们阐述了"永嘉杂剧＝鹘伶声嗽＝栝伶声嗽＝温州优伶＋栝州优伶"这样一种复杂关系,所以也可以由此推测永嘉杂剧的形成可能有栝州戏曲表演艺人的一份努力。从明代杨慎曾为白居易的诗《寄明州于谢马使君三绝句》所作注释可知,在杨慎看来"不入管弦"早已是"南方歌词"的一个重要传统;再根据徐渭在《南词叙录》中所述,明初朱元璋曾因不满《琵琶记》"不可入弦索"而命教坊"以筝琶被之"。由此,宋元南戏的演唱应当普遍为打击乐伴奏的徒歌干唱。南宋王子敬的一首《花村戍鼓》云:"红巨翠陌连西东,软尘十里吹香风。尝春醉归吟未毕,耳根厌听鼓冬冬。吟成独衣阑干立,雷撼霆轰鸣转急。须臾挞尽寂无声,唯见月高花露湿。"其中的"尝春醉归吟未毕,耳根厌听鼓冬冬"便已形象生动地为我们描绘了南宋时期松阳地区民众伴着打击乐的徒歌干唱表演。综上所述,我们认为松阳高腔的起源应和永嘉杂剧之起源有着非常密切的关系,松阳高腔究竟是承继了永嘉杂剧的元素而后产生的变体,还是它本来就是永嘉杂剧的一个组成部分还需进一步考证,但是松阳的戏曲表演形式开始于南宋应当是无疑的。

第四章 音乐本体与艺术特征

第一节 音乐本体

一、节奏节拍

松阳高腔与其他戏曲音乐一样,其唱腔有独特的风格和韵味。松阳高腔的唱腔基本上是采用散板和有板无眼的板式。结构一般展现得比较自由,节拍可以随着唱词和剧情发展的需要,而随时扩张与收缩,时刻保持着节奏的平衡、协调、统一。如《白兔记》的选段中有这样的一段唱腔能够较好地阐释这一点。

谱例 4-1

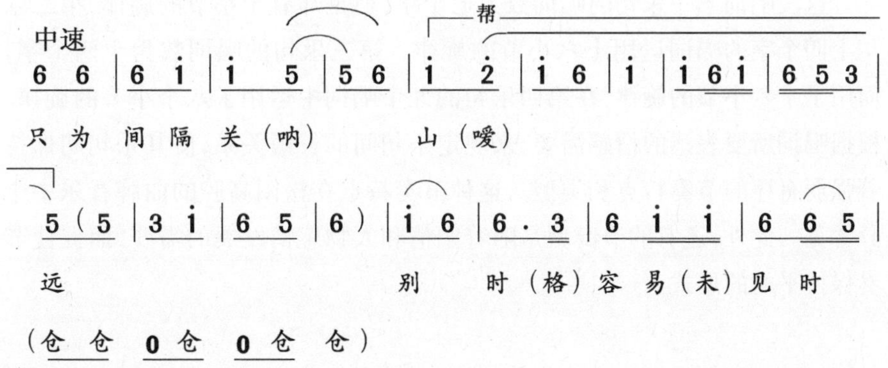

中速
6 6 | 6 1 | i 5 | 5 6 | i 2 | i 6 | i | i 6 i | 6 5 3 |
只为 间隔 关(呐)　　　山(嗳)

5 (5 | 3 i | 6 5 | 6) | i 6 | 6 · 3 | 6 i | i | 6 6 5 |
远　　　　　　　　　别　时(格)容 易(未)见 时
(仓仓　0 仓　0 仓 仓)

```
        ╭─── 帮 ───╮
3 | 6 6  6 3 5 | 3 0 | 5·1 | 6 | 6 5 3 2 | 1 | 1 2 |
难 望  断 关 河 (呐) 易     (呐) 水 (呃)    寒

2 5 | 3 (3 3 6· 3 6·) | 3 3 | 3 6 1 1 6 5 | 6 |
(吉 打 吉 令 仓)         鸿 (啊) 雁 不 传 那 君 不 知

              ╭─── 帮 ───╮
6 3 6 1 | 3 5·1 | 6 | 6 5 3 2 | 1 | 1 2 2 5 |
井边 流泪 (呐) 待   (呐) 君 (啊)

3 (3 3 6· 3) | 1 6 1 3 | 3 3 | 1 6 1 6 5 | 6 |
(吉 打 吉 令 仓) 我 与   刘 郎 瓜 园 (那) 分 别

1 1 6 | (6 6 5 3 2) |
后 (嗳) (吉 打 吉 令 仓)
```

——选自《白兔记·三娘写书》

这段唱词第一乐句的唱词数为七个字，但是却有十小节的旋律，第二乐句十四个字的唱词运用十六小节的旋律。第三乐句的唱词数为十四个字，而用了十六小节的旋律，在第四乐句的九个唱词中运用了八个小节的旋律。根据唱词所要表达的情感需要，来规定乐句间的长短关系，使其乐句间保持着强弱有序的节奏特点和类型。这种节奏特点在松阳高腔的曲牌音乐中十分常见。此外，还有的节奏型是随着剧情和人物感情发展的需要，而促使节奏保持平衡的形式。

谱例 4-2

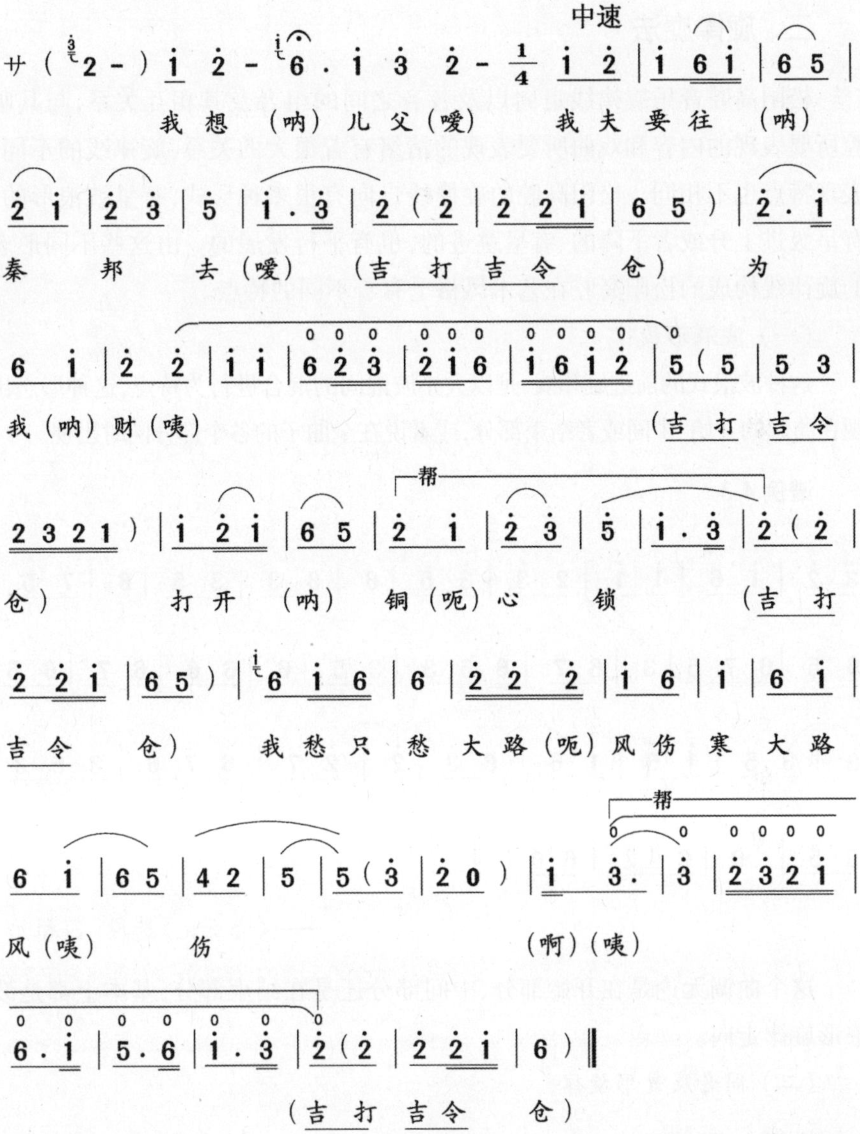

——选自《黄金印·唐二别妻》

在松阳高腔的唱腔中,很多曲牌是以散唱的形式出现的,其节奏和节拍的展现相对而言较为自由,同时根据剧情与表演的需要制造紧张与松弛的表演环境。散唱曲牌的特征及其角色的运用是由唱腔特征来决定,同时也要考虑到剧情、人物心理、意境表达的需要,来决定其节奏型的不同表现手法。松阳高腔的唱腔节奏基本上是在有板无眼和散板两种形式间展开。

二、旋律旋法

松阳高腔音乐旋律线走向以及各音之间的组合及其相互关系,与其唱腔所要表现的内容和戏曲所要表现的情绪有着很大的关系,旋律线的不同,表现特点也不相同。松阳高腔的旋律线走向有很多种形式,有呈波浪形的、有呈级进上升或者下降的、有呈跳进的,也有平行发展的。由这些不同形态的旋律线构成的松阳高腔在艺术风格上有着不同的特点。

(一) 波浪形旋律

这种波浪式的前进旋律线,是以大小波浪间的混合进行为特点,这种形态出现在曲调的开始、中间或者结束部分,或者说在全曲子的各个部分同时出现。

谱例 4-3

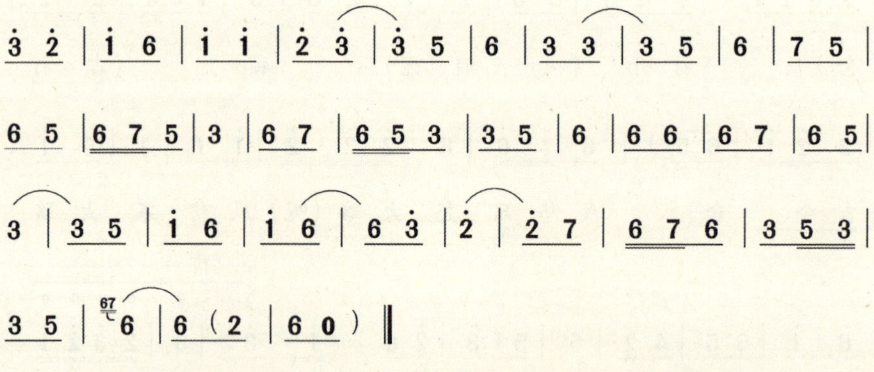

[乐谱]

——《合珠记》选段 [四朝元]

这个曲调无论是在开始部分、中间部分还是在结束部分,基本上都是波浪形旋律走向。

(二) 同音反复形旋律

谱例 4-4

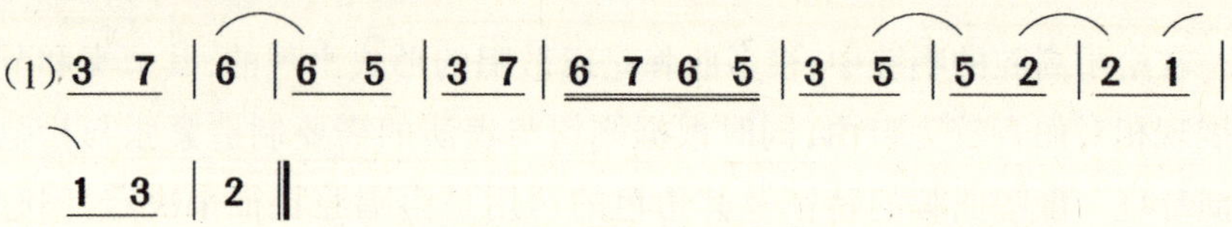

[乐谱]

——选自曲牌 [一封书]

(2) $\underline{^6_7}$ 7 | 7 $\underline{7\,3}$ | $\underline{6\,6\,6}$ | 6 7 | 3 $\dot{2}$ | $\underline{\dot{2}\,7}$ $\underline{7\,5}$ | 6 ‖

——选自曲牌〔玉芙蓉〕

谱例(1)是以级进和跳进相间构成的旋律线条。所以曲调的情绪一般比较平稳、从容和自信。谱例(2)基本上也是以级进构成的旋律线,但是其中有六、七度的跳进,旋律曲调的跳进往往会引起情绪间的波动,力度也比原来增强。松阳高腔中八度音程的跳进基本上是很少的,旋律间的跳进基本上都是在七度这个范围之内进行。同音反复级进和跳进相间构成的旋律线是松阳高腔旋律线的特征之一。

(三) 平行旋律

在文中我们谈到了松阳高腔中呈波浪形和级进与跳进相间的旋律线,这些是松阳高腔旋律的主要特征。而平行的旋律形态不仅仅是作为一种较小的结构单位,而且在一些松阳高腔的乐句中也经常出现。这种形式较之前面的两种,其突出点更多。

谱例 4-5

$\dot{2}\,\dot{2}\,7$ | 7 6 6 6 | 6 7 $\underline{6\,7\,6}$ | $\underline{5\,5\,3}$ $\underline{3\,6\,7}$ | 6 5 |

个个　用力(哈)　去(咦)向　　前

($\dot{1}$ | $\dot{1}$) $\dot{2}$ $\dot{2}\,7$ | 7 6 6 6 | 6 7 $\underline{6\,7\,6}$ | 5 3 |

吉仓　仓)我有(那)封来　(哈)你(呃)有 (呃)赏

$\underline{3\,6\,7}$ | 6 5 | 6 ‖

——选自《三状元》

谱例 4-5 是《三状元》第十八场中的选段,从旋律上看,前后两个乐句的旋律基本一样,只是最后的落音不同而已,属典型的平行旋律。

三、曲式结构

松阳高腔作为曲牌连套体结构,在其长时间的表演过程中为了剧情和表演发展的需要,在唱腔的组织结构上具有格律这样一种形态。同时根据唱词的长短需求,采取相应的表现手段。并按照松阳高腔的曲式发展特点组织戏曲音乐。松阳高腔的曲式结构一般分为段式曲式和句式曲式。

（一）段式曲式

松阳高腔唱腔音乐的曲式主要是段式曲式,这是构成唱腔曲牌的基础,是由两个以上的唱腔句式连接起来进行表演的曲式,我们称之为"段式曲式"。它是松阳高腔音乐中最基本、结构性最为完整的基本单位,能够准确地表达戏曲音乐的主题思想。在松阳高腔中最常见的是由两个乐句或者说四个乐句组成的段式曲式,甚至还有更多的乐句相结合组成的段式曲式。我们现在从曲式进行的角度对松阳高腔的音乐进行分析研究、对比整理,抽象地归纳出四个乐句构成的四句体和起承转合的段式曲式。归纳出由两个不同宫调上下句曲式组成的复式段式曲式、由对称的上下句结构而形成的上下句体段式曲式、由两乐句构成的段式曲式等。松阳高腔作为联曲体制,曲牌具有相对的完整性,以上概括了各种段式曲式的特征。

1. 起承转合段式

谱例 4-6

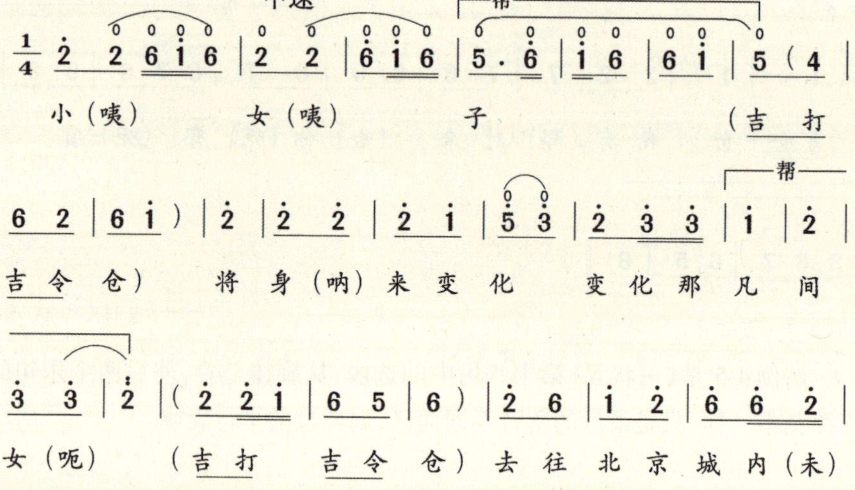

$$\overset{\frown{帮}}{\underline{1\ \ 1}} | \underline{6\ \ 6} | \overset{\frown{}}{\dot{2}} | \overset{\frown{}}{\underline{\dot{2}\ \dot{3}}} | \overset{\frown{}}{\underline{\dot{2}\ \underline{3\ 6}}} | \underline{5\ \ 5\ 6} | \dot{1}\ \ 6 | (\ 6\ \ 5 |$$

去（呃）逃（呃）（咦）　　生　　（吉打　吉令

$$62) | \underline{\dot{2}\ \dot{1}} \underline{\dot{2}\ \dot{1}} | \underline{\dot{1}\ \ 6} \underline{6\ \dot{1}} | \overset{\frown{}}{\underline{\dot{2}\ \dot{3}}} \dot{2} | \overset{\frown{帮}}{\underline{1\ \ 6}} | \underline{5\cdot\ 6} |$$

仓）去往北京（呐）城内（未）去　　逃　生（的）

$$\overset{\frown{}}{\underline{\dot{1}\cdot\ 3}} | \overset{\frown{}}{\dot{2}} | (\underline{\dot{2}\ \dot{2}\ \dot{1}} | 6\ 5) |$$

（吉打　吉令　　仓）

——选自《八仙桥》

谱例4-6中的第一句作为起句，具有呈示性，有陈述主题和表达中心思想的作用。第二句是第一句的变化性重复，具有巩固与呼应第一乐句的作用，其作用能够承上启下。第三句变化发展与第一、二句形成对比，句子的最后音落在了属音上，起到转换的作用。第四句与第三句形成对比，变化中有统一，并且与第一句相互呼应，具有合的作用，因此是合句。这个例子是对四句体构成的起承转合段式结构的最好阐释。

2. 复式段式

复式段式曲式是由两个不同宫调的上下句体的曲式，进行有规律的往复、排列所组成的曲式，称之为复段曲式。在《白兔记》（谱例4-7）选段中第一句以散唱的形式将落音留在"6"上，第二句的落音留在"3"上，这样两句组成了上下句的变格形式。第三和第四句的音全部出现在"3"上，由于升"5"的出现，构成了"3"宫与"5"宫之间的宫调交替出现的现象，由第三、第四句组成的曲式与第一、第二句组成的曲式有着两个不同的宫调。第三、第四句属于上下句体变格形式，与第一、第二句合并而成为复式段式曲式。

谱例 4-7

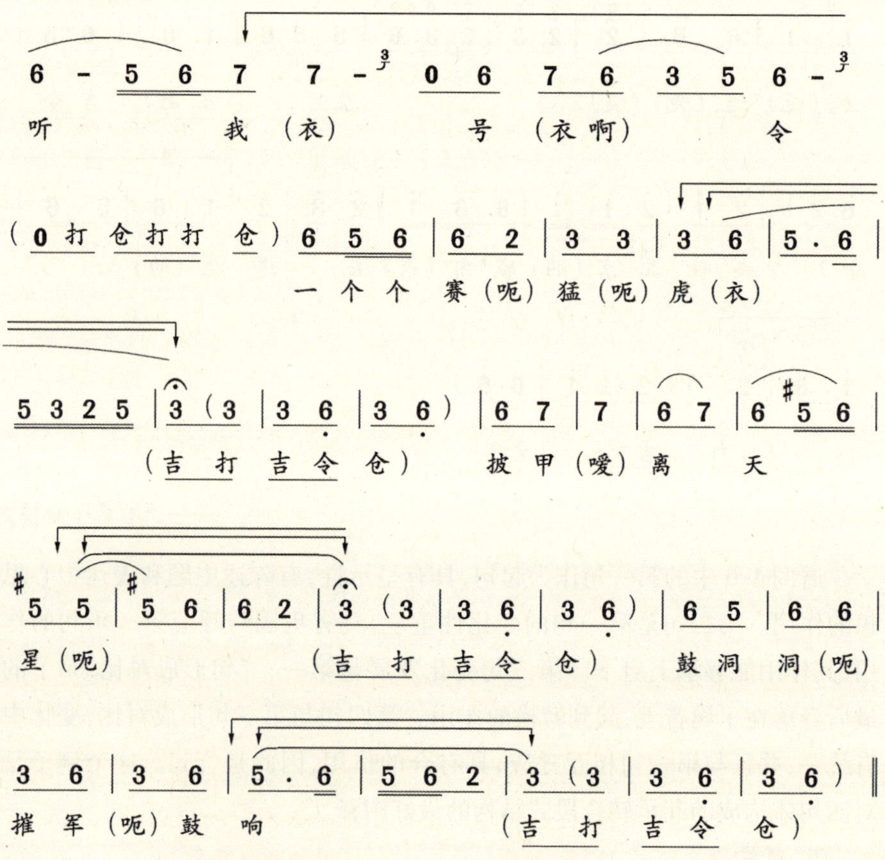

[曲谱：《白兔记》选段，唱词为"听我（衣）号（衣啊）令（0打仓打打仓）一个个赛（呃）猛（呃）虎（衣）（吉打吉令仓）披甲（嗳）离天星（呃）（吉打吉令仓）鼓洞洞（呃）摧军（呃）鼓响（吉打吉令仓）"]

——《白兔记》选段

3. 上下句段式

这种曲式指的是乐句间相比而言较为对称，形式上以上下句体结构形成的曲式，称之为上下句体段式曲式。谱例4-8 中的第一乐句上句落在"5"音上，下句落在了"3"音上，第二句的上句音落在"3"音，下句落在"6"音，形成了上下句体曲式，第三和第四句上下句体结构相同，是上下句体结构的重复再现，最后上句落音与前两个相同，而尾句落在"1"音上，构成了上下句体的变化形式。曲牌分别在三种不同的下句落音构成上下句体段式曲式，是由上下句体变格曲式和上下句体正格曲式综合而成的曲式。

谱例 4-8

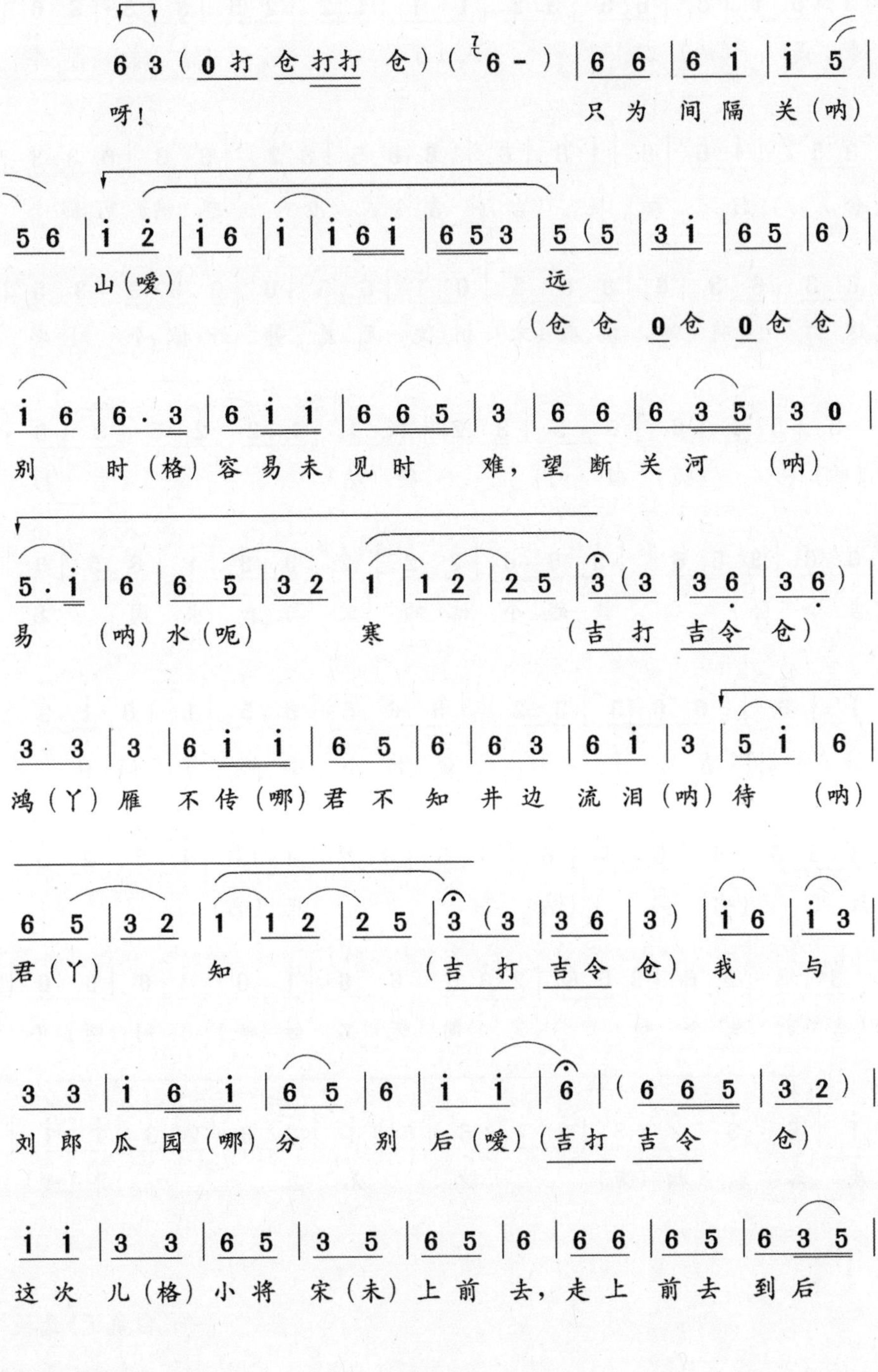

6 3 (0 打 仓 打 打 仓) (7̣ 6 -) | 6 6 | 6 1 | 1 5 |
呀！　　　　　　　　　　　　只为　间隔　关（呐）

5 6 | 1̇ 2̇ | 1̇ 6 | 1̇ | 1̇ 6 1̇ | 6 5 3 | 5 (5 3 1̇ | 6 5 | 6) |
山（嗳）　　　　　　　　　　远　　　　（仓 仓 0 仓 0 仓 仓）

1̇ 6 | 6 · 3 | 6 1̇ 1̇ | 6 6 5 | 3 | 6 6 | 6 3 5 | 3 0 |
别　时（格）容易 未 见 时　难，望 断　关 河　（呐）

5 · 1̇ | 6 6 5 | 3 2 | 1 | 1 2 | 2 5 | 3̆ (3 | 3 6 | 3 6) |
易　（呐）水（呃）　　寒　　　　　　（吉 打　吉 令　仓）

3 3 | 3 | 6 1̇ 1̇ | 6 5 | 6 | 6 3 | 6 1̇ | 3 | 5 1̇ | 6 |
鸿（丫）雁　不 传（哪）君 不　知 井 边 流泪（呐）待　（呐）

6 5 | 3 2 | 1 | 1 2 | 2 5 | 3̆ (3 | 3 6 | 3) | 1̇ 6 | 1̇ 3 |
君（丫）　知　　　　　　（吉 打　吉 令　仓）我 与

3 3 | 1̇ 6 1̇ | 6 5 | 6 | 1̇ 1̇ | 6̆ (6 6 5 | 3 2) |
刘 郎 瓜 园（哪）分　别 后（嗳）（吉 打 吉 令　仓）

1̇ 1̇ | 3 3 | 6 5 | 3 5 | 6 5 | 6 | 6 6 | 6 5 | 6 3 5 |
这 次 儿（格）小 将 宋（未）上 前　去，走 上　前 去 到 后

$\underset{\text{来是}}{3} | \underset{\text{(呐)}}{5} \underset{\text{路}}{\dot{1}} \underset{}{6} | \underset{}{6\ 5} \underset{\text{人}}{3\ 2} | \underset{\text{(了)}}{1\ 1} \underset{}{1\ 2} \underset{}{2\ 5} | \underset{\text{(吉 打 吉 令}}{\dot{3}} \underset{}{(3} | \underset{}{3\ 6} \cdot |$

$\underset{\text{仓)}}{3\ 5)} | \underset{\text{仔}}{\dot{1}\ 6} \underset{\text{细}}{6} \underset{\text{观}}{\dot{1}\ 6} | \underset{\text{(吉 打 吉 令}}{6\ (6\ 6\ 5} \underset{\text{仓}}{3\ 2)} | \underset{\text{观 (呐) 见 那 个}}{6\ 3} \underset{}{6\ 3\ 3} |$

$\underset{\text{这 位 小 将 军,}}{6\ 3} | \underset{\text{容 颜 (未)}}{6\ 5} \underset{}{6} | \underset{\text{相 貌 无 差 异}}{3\ 5\ 5} | \underset{\text{好 似 个 刘 郎}}{6\ \dot{1}} \underset{}{6\ 5} \underset{}{6} | \underset{}{6\ 3\ 3} \underset{}{3\ 5} |$

$\underset{\text{(呐) 一 (呃) 般 (呐) 貌 (呐)}}{3} | \underset{}{5\ \dot{1}} \underset{}{6} | \underset{}{6\ 5} \underset{}{3\ 2} | \underset{}{1\ 1} \underset{}{1\ 2} \underset{}{2\ 5} | \underset{\text{(吉 打}}{\dot{3}\ (3} |$

$\underset{\text{吉 令 仓)}}{3\ 6} | \underset{}{3\ 5\ 6)} | \underset{\text{说 起 个}}{\dot{2}\ 6\ 6} | \underset{\text{他 的}}{\dot{2}\ \dot{2}} | \underset{\text{父 与}}{\overset{6}{\dot{2}}} \underset{\text{我 夫}}{3\ 3} | \underset{\text{同 名}}{\dot{1}\ 6\ 5} \underset{}{6} |$

$\underset{\text{姓}}{\dot{1}} | \underset{\text{(吉 打 吉 令 仓)}}{6\ (6\ 6\ 5} \underset{}{3\ 2)} | \underset{\text{说 起 个}}{6\ 6\ 5} | \underset{\text{小 将 军,}}{6\ 5} \underset{}{6} | \underset{\text{同 我}}{6\ \dot{1}\ 3} |$

$\underset{\text{孩 儿 (呐)}}{3\ 3\ 5} | \underset{\text{同 (呐) 年}}{3\ 5\ \cdot \dot{1}} | \underset{}{6} | \underset{}{6\ 5} \underset{\text{庚 (啊)}}{3\ 2} | \underset{}{1\ 1} \underset{}{1\ 2} \underset{}{2\ 5} |$

$\underset{\text{(吉 打 吉 令 仓)}}{\dot{3}\ (3} \underset{}{3\ 6} | \underset{}{3\ 5\ 6} | \underset{\text{父 同 (呃)}}{\dot{2}\ 3\ 6} | \underset{\text{名 姓 (呢)}}{6\ 6} | \underset{\text{子 同 (呃) 年}}{\dot{1}\ 6} \underset{}{\dot{1}\ 6\ 6} |$

$\underset{\text{庚 容 颜 相 (呃)}}{\dot{1}\ 6\ 3} \underset{}{\dot{2}\ 3} | \underset{\text{貌}}{\dot{2}\ \dot{1}\ 6} | \underset{\text{无}}{0\ \dot{1}} | \underset{\text{差}}{\dot{2}\ 3} \underset{\text{异 (嗳)}}{\dot{2}\ 6} | \underset{}{\dot{1}\ \dot{1}} |$

$\dot{1} \|$

——《白兔记》选段

4. 两乐句段式

谱例 4-9

$\widehat{6}$ $\overline{3\ \underline{6\ 6}\ 3}$（乙打　仓打打　仓）（$\underline{3\ 3}\underline{3\ 3}\ 3\ -$）$3\ 5\ -\ \widehat{5}\ 3$
老　爷！　　　　　　　　　　　　　　　　　　　　　　　自　从
妻　吓！

$\underline{6\ 6}\ \underline{1\ 1}\ \dot{1}\ -\ \widehat{6}\ 3$（$\dot{1}\ \underline{6\ 5}\ \underline{3\ 2}\underline{1\ 2}\ 3\ -$）$\dot{1}\ \dot{1}\ \dot{1}\ \dot{1}\ 2\ -\ \dot{1}\ 6\ -$
家乡　分别　后　　　　　　　　　　　　　　　　今　日　才　得（哎）

（$\dot{1}\ 2\ \dot{1}\ 7\ 6\ -$）

$\underline{5\ 3}\ \underline{7}\ 7\ .\ 6\ -\ \|$
重　相　会（哎）
　　　　（仓．仓　仓仓）

——《卖水记》选段

谱例 4-9 是散唱的形式，第一句的落音在"1"上，第二句的落音在"6"上，在曲牌的开始加了叫头，每句运用过门开始，此曲是属于单对仗段式曲式，即只有两乐句的曲式。

（二）句式曲式

在松阳高腔的句式曲式结构中，由于该种句式不具备完整的音乐思想，其性质只能用来启示演唱的速度和表现剧中人物的感情，在乐句与乐句之间起着过渡、对比、呼应的作用。例如，在对上句的引导中，成为单一的句式唱腔；在唱段中插入散唱形式的句式唱句；在唱腔曲牌的开始地方出现不完整性的句式。这种形式是句式中最小的形式，称之为"叫头"或者"起调"。此外，结束句与哭调都属于句式结构形式。

1. 叫头

松阳高腔句式结构中的叫头，依据其落音来命名，如落宫音（1）则命名为"落宫韵叫头"；若落商音（2）则为"落商韵叫头"；依此类推，还有"落角韵叫头"、"落徵韵叫头"以及"落羽韵叫头"三种形式。

2. 引子

松阳高腔曲式结构中的引子用在叫头之后,作为唱段的导入,具有明确的调式、调性。它与叫头一样,依据其落音的不同,有落宫音、落商音、落角音、落徵音、落羽音五种引子形式。如《判乌盆》中的引子就是落羽音的引子。

谱例 4-10

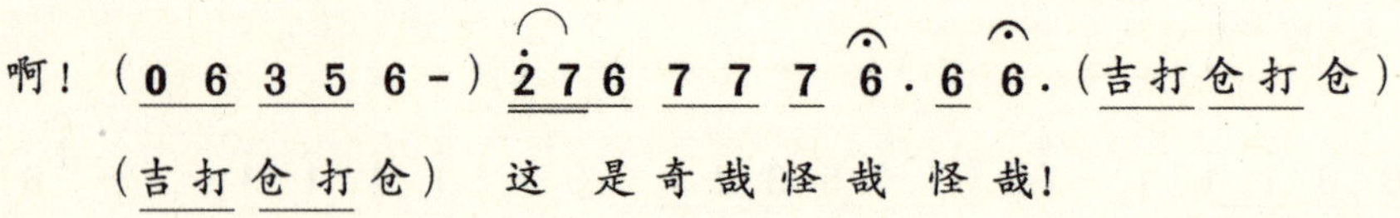

啊!（0 6 3 5 6 -）2 7 6 7 7 7 6.6 6.（吉打仓打仓）
（吉打仓打仓） 这 是 奇 哉 怪 哉 怪 哉！

——选自《判乌盆》

3. 结束句

结束句,依附于所连接的其他唱调,出现在唱腔的结束或曲牌的末尾,起收缩的功能。

4.〔哭调〕

〔哭调〕是松阳高腔的曲牌之一,在松阳民间办丧事时常用。〔哭调〕用于穿插在两唱段之间,但也可放在某一唱段的开始。如《合珠记·浮桥赠珠》中的〔哭调〕。

谱例 4-11

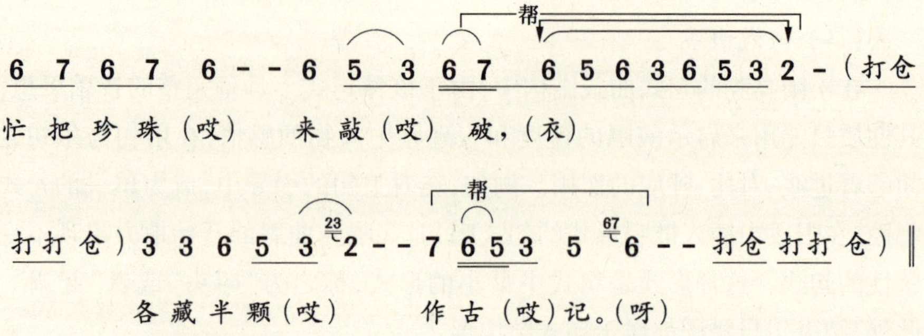

6 7 6 7 6 - - 6 5 3 6 7 6 5 6 3 6 5 3 2 -（打仓
忙 把 珍 珠（哎） 来 敲（哎） 破,（衣）

打打仓）3 3 6 5 3 2 - - 7 6 5 3 5 6 - - 打仓 打打仓）‖
各 藏 半 颗（哎） 作 古（哎）记。（呀）

——选自《合珠记·浮桥赠珠》

5. 单句体句式

这类句式无论是在唱腔的开始部分还是结尾部分,抑或在这两者之间都有运用。从曲调来看,似乎比引子、结尾句更靠近一些单句体句式,它既可以连接其他唱段,在某些情况下还可以单独出现。

谱例 4-12

呼！匡匡 齐匡匡 6 - 3 5 3 2 - 3 7 6 5 - 6 1 5 6 1 -
　　　　　　　马　将　军　要　 为（呃）山 （呃）

3 3 6 5 - ‖ 呼！
立 大 功！

——选自《八仙桥》

谱例 4-12 就是单独出现的完整的单句体句式结构。

四、调式调性

（一）调式

五声调式是松阳高腔唱腔曲牌调式中常用的调式，通常以羽调式为主，同时结合宫调式、商调式、角调式、徵调式，形成松阳高腔调式的基本框架。

谱例 4-13

1 6 3 2 3 2 - 6 - 2 6 1 1 6 1 6 2 - （仓 仓 仓.）｜
爹（呃）（噫）　　奸 人 生 恶　意

1/4 2 6 1 ｜ 6 5 ｜ 2 3 1 ｜ 2 3 ｜ 5 5 ｜ 1 . 3 ｜ 2 （2
打 下 了　谋　天　计（呃）　（吉 打

2 2 1 ｜ 6 5) ｜ 2 ｜ 5 2 ｜ 2 6 1 ｜ 6 ｜ 1 2 ｜ 6 5 ｜ 2 3 1
吉 令　仓)　 打 开　并 头　莲 折 散（呐 哈）鸳

2 3 ｜ 5 5 ｜ 1 . 3 ｜ 2 (2 ｜ 2 2 1 ｜ 6 5) ｜ 2 ｜ 6 ｜ 6 5 6
鸯　对（呃）　（吉 打 吉 令　仓)　我 与 彦 贵

0 1 ｜ 2 ｜ 2 6 ｜ 1 6 6 6 ｜ 2 ｜ 2 1 ｜ 2 0 ｜ 2 3 ｜ 6 ｜ 2 1
相 公　有 其 名 （哩格）无 其 实　好 姻 缘 反 成

[乐谱]

——选自《卖水记·讨祭》

如谱例4-13所示，例中的每个乐句都围绕着调式主音"2"作上、下级进，曲终仍结束于"2"上，它是典型的商调式曲牌。

（二）曲调中的变化音

松阳高腔有着悠久的历史，唱腔风格独特。在漫长的历史岁月中，艺人们在表演中逐渐地添加在基本音级以外的派生音级，在原来的五声音级上，添加了变宫"7"，以此形成了1、2、3、5、6、7的六声音阶。同时在这些基本音级中产生了派生音级升1、4、5这三个音。变化音在松阳高腔中所展现的作用，在于它改变了原来的调式中的调式和调性。我们从松阳高腔作品《玩花记·打瓜精》中的唱段来进行了解。

谱例 4-14

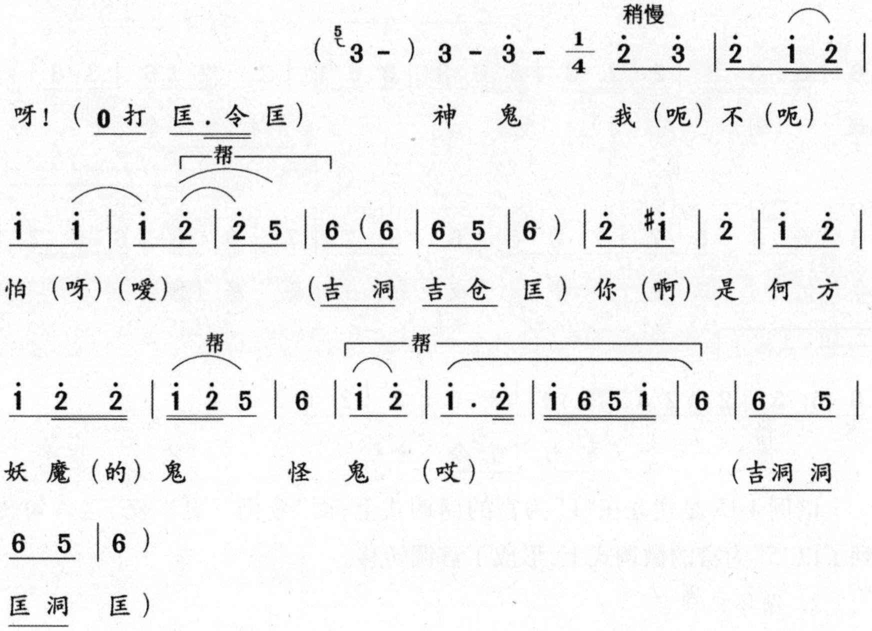

[乐谱]

——选自《玩花记·打瓜精》

谱例 4-14 中变化音升"1"虽然只起到了升高半个音的作用，但它在旋律中平稳运用时，一般都伴随在三度音程左右出现。当在例子中不出现升"1"时，就是以"1"为宫；但是有了升"1"，就改变其原来的调性，这样就成了"6"为宫的宫调式了。

（三）宫调转移的调式

我国的戏曲音乐文化中常常出现宫调的转移，我们通常说是移宫形式。松阳高腔曲牌中也具有这方面的特点。它反映在调式的变化以及各种非同宫音的调性更替方面。这是松阳高腔曲牌在调性上的基本变化方法，通过宫调的转移从而导致调性的变化。这就使音乐克服单调、乏味之感，使音乐的情绪高涨、强化，使其色彩鲜明，使音乐中的故事情节和人物情绪表达得更加鲜明和具有特色。松阳高腔的曲牌产生移宫异调的形式，表现手法基本上有以下几个方面：

1. 变换式移宫

所谓变换式移宫就是在唱腔中以乐句结构为基础形成，由原宫开始，进行句式移宫。形成原宫—移宫或者移宫—移宫—原宫的变换形式。

谱例 4-15

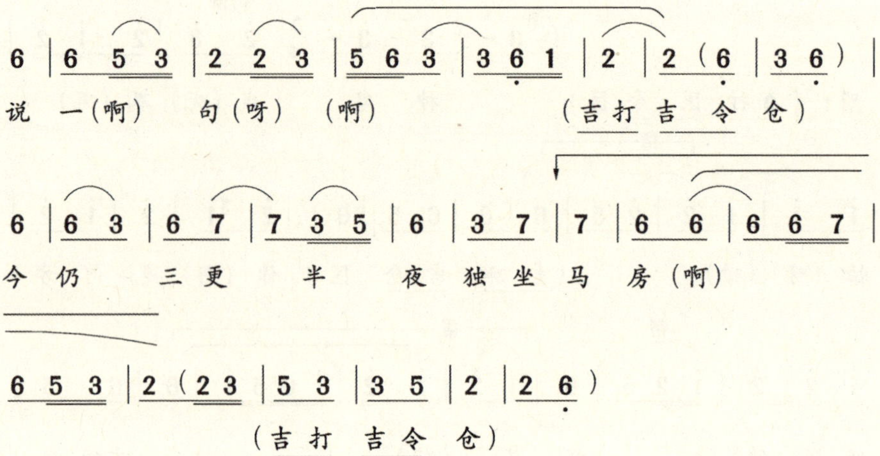

[简谱：说一(啊)句(呀)(啊)(吉打吉令仓)／今仍三更半夜独坐马房(啊)／(吉打吉令仓)]

谱例 4-15 是建立在"1"为宫的商调式上,而"今仍三更半夜"这一句转到了以"5"为宫的徵调式上,形成了宫调转移。

2. 循环式移宫

由于唱腔的结构与戏曲表演的内容相结合而形成的有秩序、有规定、反复、并列进行循环的移宫,称为"循环式移宫"。

谱例 4-16

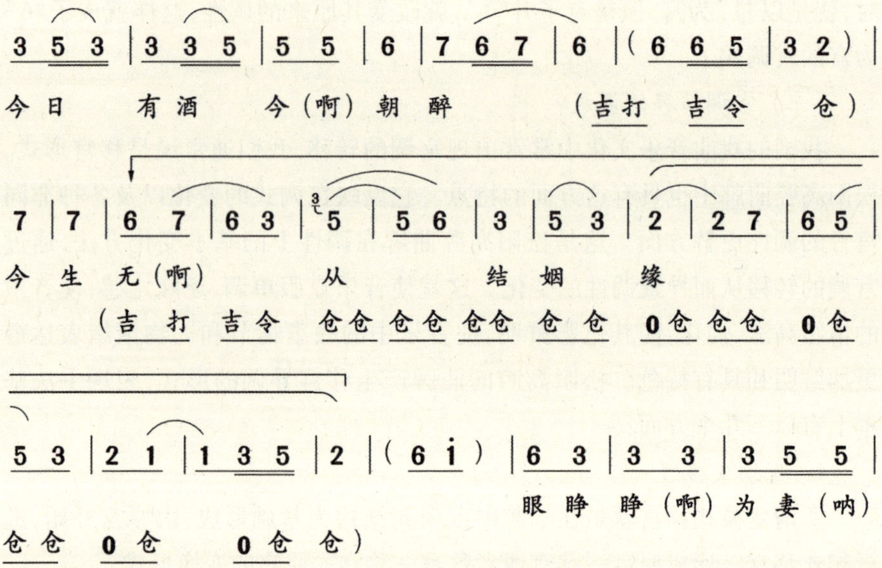

[简谱：今日有酒今(啊)朝醉(吉打吉令仓)／今生无(啊)从结姻缘／(吉打吉令仓仓仓仓仓仓仓仓仓 0 仓仓仓 0 仓)／眼睁睁(啊)为妻(呐)／仓仓 0 仓 0 仓仓)]

```
 5
5 7 6 (6 5 | 3 2) | 6 7 | 7 3 5 | 6 | 6 3 3 5
好 伤 悲       铁 石 (呀)人   喷 铁 石
(吉打 吉令 仓)

3 3 5 | 7 6 6 3 | 5 6 | 3·6 | 5 6 2 | 2 3 5 | 6
人 喷  两(啊)      泪(咦)
(吉打 吉令 仓仓 仓仓  仓仓 0 仓  仓仓

6 5 | 5 3 | 2 | 2 1 | 1 3 5 | 2 ‖
0 仓 0 仓 仓仓 0 仓 0 仓   仓)
```

谱例4-16是以"5"为宫的商调式系统，第二句转换宫调以"1"为宫，第三句又回到"5"宫，第四与第三句对置又转回到同第二句相同的"1"宫调系统。两次转换从"5"宫向下五度到"1"宫，是音乐的进行构成了"5"宫到"1"宫，再到"5"宫，转入"1"宫，这样有秩序、有规律的循环、并列的进行，从而形成了宫调的对置变化。

3. 段落式移宫

运用移宫转调的手法，通过唱句或者说唱段之间的过门形式，使其唱句或者说唱段之间的宫调形成对比，达到段落与段落间的"移宫犯调"。

谱例4-17

```
7 | 7 | 7 (2̇ | 6 2 | 6) | 6 5 | 6 7 | 2̇ | 7 6 7 | 6 | 6 (2 |
                                    (1)
6) | 6 7 | 6·5 7 6 5 7 | 6 | 6 (2 6) | 2̇ 6 7 | 3 | 7 6 7 | 7 | 2̇ 6 |
7 2̇ | 7 2̇ | #5 7 | 5 | 6 3 | 6 3 5 | 7 | 6 3 | 5 3 5 | 3 |
  (2)
```

$$5\ 3\ |\ \underline{2\ 6}\ 1\ |\ 2\ |\ \underline{6\ 3}\ |\ \underline{5\ 3\ 5}\ |\ 3\ |\ \underline{2\ 5\ 5\ 1}\ |\ 2\ |\ \underline{2\ 5\ 5\ 1}\ |$$

$$2\ |\ \underline{2\ \dot{6}}\ |\ \underline{\dot{6}\ 1}\ |\ \underline{1\ \dot{6}}\ |\ \underline{\dot{5}\ 3}\ |\ \dot{5}\ |\ \underline{\dot{6}\ 1}\ |\ \underline{1\ \dot{6}}\ |\ \underline{3\ \dot{6}}\ |\ \dot{5}\ |\ \dot{5}\ ||$$

谱例4-17中第一乐段(1)为"5"宫调系统,而第二乐段(2)则建立在"1"为宫的"1"宫系统中,使整个唱段由两个不同的宫调组成,唱段与唱段的宫调形成对比,构成段落性的移宫。

（四）同宫异调式

在我国的戏曲音乐中,将同一音形成的调式范围内的各种不同形式的调式互相转换称之为"同宫异调式"或者说"同宫犯调"。

松阳高腔唱腔的基本音阶由1、2、3、5、6五个音构成,所构成的基本调试是以"1"为宫的调式系统,调式有"1"为宫的宫调式、商调式、角调式、徵调式、羽调式五种形式。在同一个唱腔曲牌中相同宫调形成不同的调式,并引起调式的转移,形成同宫异调式。

松阳高腔唱腔中同宫异调式的常见调式变化有从不同的调式转向宫调式,从不同的调式转向商调式,从不同的调式转向角调式,从不同的调式转向徵调式,以及从不同的调式转向羽调式五种形式。可以说松阳高腔的调式转化极其复杂,而各种调式的结构形式及其变化,丰富了唱腔的艺术性和表现性。

五、过门音乐

松阳高腔的过门是其唱腔曲牌的重要组成部分,对于刻画人物的性格、表达戏曲的感情、塑造剧中人物的形象具有积极的作用。在松阳高腔的唱腔曲牌中,除了有其发展变化而演变成的非演唱的曲调外,还有加入打击乐而构成的不同形态结构的过门。这一内容分为前奏过门、过曲过门和尾声过门三种。

（一）前奏过门

前奏过门具有明确的调性、调式、力度、速度,能够预示戏曲音乐中所要表达的思想,起到连接对白、提示唱词内容和引导主题出现的作用。一般在戏曲音乐中指的是"引子"。松阳高腔的引子就是其某唱句或者是某一曲牌,所以它的前奏过门是指由器乐曲演奏的在唱腔前的这一部分乐曲。松阳高腔的前奏过门可以分为打击乐前奏过门和非打击乐前奏过门。

1. 打击乐前奏过门

加打击乐的前奏过门可以分为散板式和非散板式两种。

(1) 散板式过门。

谱例 4-18

(三娘)啊咦,刘郎夫啊(0打 仓打打仓)(7̣ 6 -) 6 - 3̇ - 5 1̇ 6

　　　　　　　　　　我刘 (呐)郎夫(嗳)

——选自《玩花记》

谱例 4-18 是加打击乐的散板前奏过门,叫头紧接打击乐之后。这个例子中前奏过门的出现,预示着唱腔的调性、调式、速度和人物情绪的展现。

(2) 非散板式过门。

谱例 4-19

呀!(0 6 5 | 3 2 3 5 | 6 7 6 5 | 3 2 3 2) | 3 6 7 |
(吉打　吉令 仓仓仓　仓仓 仓仓　仓仓仓) 上告

6 3 3 | 5 5 | 6 6 | 7 6 7 | 6 (7 6 | 6 6 5 | 3 2 | 3 6) |
公婆(啊)听(啊)诉(啊)起(啊)　　　　(吉打　吉令 仓)

——选自《九龙角》

谱例 4-19 是打击乐的非散板式的前奏过门,这种前奏过门在松阳高腔的唱腔运用中较多,有着对剧中的情绪、发展状况和唱腔节奏的提示等作用。散板式和非散板式加打击乐器的前奏过门主要有以上几种形式,其主要特征是加了打击乐,散板形式的前奏过门的打击乐加在曲调之前,有时在"叫头"之后;非散板式前奏过门的打击乐一般与乐曲同时进行,而且这种形式的前奏过门一般比过曲过门的时间要长。

2. 不加打击乐的前奏过门

不加打击乐的前奏过门在松阳高腔曲牌中用得较少，典型的例子是在《合珠记》中出现了用笛子演奏的过门，不用打击乐，笛子奏完过门后直接引入唱腔。松阳高腔的曲牌唱腔前奏过门一般情况都加入打击乐器，无论是散唱形式还是非散唱形式。打击乐的加入按不同的曲牌结构而定，这是前奏过门的一个特点。前奏过门中不加打击乐的很少，在只有笛引子或者戏开场时才采用，这是其一个重要的特点。

（二）过曲过门

在唱句与唱句之间或者说唱腔与唱腔之间的曲调中运用伴奏乐器演奏，叫做过曲过门。它具有改变调性、调式，更换力度与速度，转变情绪等作用，在唱句之间具有衔接补充和过渡等用途。松阳高腔的过曲过门有承递式的过曲过门和非承递式的过曲过门、长句式过曲过门和散式过曲过门以及用打击乐来衔接的唱腔的过曲过门等几种。

1. 承递式过曲过门

承递式过曲过门指过门中出现的第一个音与前面的唱句最后一个音相同，起连接、承前启后的作用。松阳高腔中的承递式过曲过门依据落音的不同，有落"1"音、落"2"音、落"3"音、落"5"音以及落"6"音五种不同的形式。

2. 非承递式过曲过门

非承递式过曲过门指的是在唱腔中唱句的最后一个音与过门中出现的第一个音不同，这在过曲过门中仅次于承递式过曲过门。非承递式过曲过门的形式与承递式过曲过门一样，也有落"1"音、落"2"音、落"3"音、落"5"音以及落"6"音五种形式。

非承递式的过曲过门一般情况下是在唱腔中的句末落音，与过门出现的第一个音是级进的关系。

3. 长句式过曲过门

它在过曲过门中，节拍数目多于承递式过曲过门和其他形式的过曲过门，称之为长句式过曲过门，具有刻画人物情感，补充情绪效果的作用。

4. 散板式过曲过门

散板式过曲过门在松阳高腔唱腔音乐中运用得比较少，其特点是节奏自由，并常常伴有打击乐伴奏。

谱例 4-20

[乐谱：呀！(0 打 匡令 匡齐)(⁵3- ⁵6-)3-66-#5 6 6 7
                                            想 当 初 杨 家 人 马

6 7 4 3-(马来！罗介)呀！(匡令 匡)(⁶⁵6 - - -) 6 6
闹 洋 洋   当(呃)

6 | 5 6 | 5 6 6 | 5 6 2 | 3 3 6 7 | 5 . 6 | 0 3 2 5 |
初 杨 家 人 马(哪)闹   洋 洋(嗳)

3 (3 | 3 2 | 3) |
(吉 打 吉 令 仓)]

5. 以打击乐衔接唱句的过曲过门

这种形式的过门在松阳高腔曲牌中运用得较为普遍，起到引入唱腔，为情绪气氛作铺垫的作用。

谱例 4-21

[乐谱：廿 (0 6 3 5 6-) 2 7 6 7 7 7 6 . 6 6 .
(张别古)啊！(0 打 仓 打 仓) 这是 奇哉怪哉怪哉(0 打 仓 打 仓)]

——选自《判乌盆》[长生道]曲牌

（三）尾声过门

尾声过门是曲牌的重要组成部分之一，也称之为"结尾"，是全曲的终止部分，成为唱腔终止后的延续，具有强化终止、延续意境、补充情绪、交代速度、变化节奏等重要作用，与演员的表演动作相关。松阳高腔的唱腔中尾声部分过门一般比较短小，只有几个小节，通常伴有打击乐伴奏。松阳高腔曲牌中尾声过门主要有落"2"音的尾声过门，落"3"音的尾声过门，落"5"音的尾声过门，以及落"6"音的尾声过门四种形式。作品《安安送米》中的尾声过门就属于落"6"音的尾声过门。

谱例 4-22

| 6 | 7 3 | 3 | 2 | 2 7 | 7 5 | 6 | (6 6 5 | 3 2 | 3 6) ‖
太　阳（嗳）　　　　　　　（吉打　　吉令 仓）

——选自《安安送米》

第二节　艺术特征

一、音乐特征

　　松阳高腔在形成、发展和流变中,一直保持着古朴简单、独立的班社表演形式。松阳高腔在其发展进程中,一直与其他地方性剧种尤其是邻近地区的其他高腔艺术进行交流。其音乐与其他高腔音乐有着许多相通之处,首先体现在松阳高腔的声腔系统属于曲牌联缀体,都有散唱的引子、尾声、上板的曲牌、带散的曲牌和曲中夹滚的曲牌;其次体现在松阳高腔在表演过程中与其他高腔一样都有后场帮腔的形式;第三是所有的乐器之中也是由板、锣、鼓等打击乐器定拍助节。

　　松阳高腔的许多元素也有其独特的地方,与其他高腔系统的不同之处在于以下几个方面:

　　(1)在语言运用与表演上,松阳高腔的表演与演唱是以松阳地方语言作为主要的舞台表演用语,不论是在戏曲音乐中的唱腔还是旁白或是帮腔,不论是唱腔过程还是在行腔中运用"啊"、"呀"、"矣"、"唤"、"哪里"、"喔哟"等这些衬字衬词,都带有浓郁的乡土气息。

　　(2)松阳高腔所用的曲牌相对而言较为丰富,其基本元素的来源也比较广泛,有南北曲、民间歌曲、民间器乐器和道教音乐等。曲牌在实际演唱中有两种情况:第一是完全地按照传本进行表演,例如《琵琶记之辞朝》一出中的[北点绛唇]—[神仗儿]—[滴溜子]—[入破第一]—[破第二]—[衮第三]—[歇拍]—[中衮第四]—[出破]—[煞尾];另一个是不完全按照传本进行演出,如在昆班等其他剧种中一般不唱的,在松阳高腔中却被完整地保留下来;此外,各曲牌名称虽与各地高腔或昆曲形同,但在字数、格律方面有很大的差别,例如《夫人戏》第八中的一段唱辞,虽说是[风入松]—[园林好]两段曲牌——[风入松]忙移步,来烧化,烧化灵符便得知。[园林好]忙把灵符来烧化,只见雷声霹雳响(重句),但是与实际的[风入松]和[园林好]却全然无关。

松阳高腔所形成的文本词格更显随意性和灵活性,如《卖水记》之中小生的唱词分别是七字、一字、七字、七字、九字再连接五句七字句,总共十句唱句中完全没有重唱句,但是在《拾义记之托付》中却是连续五句的五字句中,就有三句是重唱句。在唱词的平升押韵方面,松阳高腔也并不非常讲究,多是以方言的音韵顺口而歌,但在松阳高腔艺人长期的实际演唱中,也出现了一些较为程式化的曲牌标注,比如用于尾的"落台尾",常标记为[园林好];用于行路之中的"行路歌",常标记为[孝顺哥];用于拜别的常标记为[桂枝香];用于重逢的则常标记为[哭相思];用于团圆的标记为[风入松]等。

(3)松阳高腔的许多曲牌源自于对当地民间音乐的改编,如《卖水记》中的[月儿高],其中的曲牌便与当地民歌《摇篮曲》十分相似;还有松阳高腔中使用的锣鼓经曲调[丁锣]、[平锣]、[打锣]等很多都是再吸收和积极利用与改编民间的乐曲。松阳高腔中的一些曲牌音乐还有相当一部分与当地道教音乐有着十分密切的关系,如[九调]便是源自道教音乐"道士调";在松阳高腔的一些小戏之中会插入非戏曲化的民歌小调作为插曲,如在《夫人戏》中的一支[一步摆]和《追逃八仙》中的一支[懒画眉],其句式结构与昆曲相似,调式与高腔却是迥异,应是直接选取了其他音乐做插曲。

二、表演特征

松阳高腔的表演风格独特,带有明显的乡村文化的气息,松阳高腔的当代表演主要是承袭了先辈艺人们的表演经验,同时结合了当下的社会生活和自然经验而总结形成的表演技术程式。其表演程式和其他戏曲一样,融合了唱、念、做、打等一系列艺术手法。但是,在松阳高腔的表演中,有着重文轻武的表演倾向。它的唱,要求中气充沛,同时要求腔圆字正,演唱中往往有很多的唱中加念,尤其是在表现争辩、愤怒、斥责场景的时候,更会发挥出其唱的功效。对于帮腔或者说是衬腔中的唱，基本上的要求是要齐、要洪亮。它的念，就是念白或者说是散白，一般在节奏和音乐上有着很大的变化。松阳高腔表演中的念，基本上都是利用松阳的地方性方言，这些念白都是经过松阳高腔的艺人们提炼的经典独白，一般具有节奏和音色上的变化，后又融合吴语音韵和中州音韵形成一种混合式舞台表演语言。它的做，是反映其表演技艺与其他的高腔或者戏曲不一样的重要标志之一。在做功中对于手、眼、身和步伐都有各种角色的程式，结合各种角色的装扮和表演特点，也有一些相对应和比较固定的表演程式，比如白脸常常是表现正面人物，这个角色在戴帽时要"正冠"、"齐眉"，走路时要迈"八字步"，出手时也要"平肩"，从而展现出一派正义、文雅庄重的人物形象。它的打，有别于其他的声腔剧种，最明显的例子就是重视文戏，它将武戏文演，即使演出武打场面，也只是演员在舞台上挥舞一套像"全堂刀"、"全堂枪"或"全堂棍"等的武打动作，并不具备任何高难度的武打功夫，所以在松阳高腔的表演中不存在那种场面十分紧张激烈的武打场面，多是武戏文做。

另外，"唱腔是区别戏曲剧种的重要标志，有时甚至是唯一标志"，而戏曲中的唱腔主要是由曲调和唱词两个部分组成的，松阳高腔在其唱腔表演方面，也体现出了自己的特色。

松阳高腔传统剧目《合珠记》演出剧照

松阳高腔《三状元》演出剧照

(一) 唱腔曲调

松阳高腔为了使音乐产生动人、新颖的戏剧性效果,便更多地赋予唱腔以活力与动态,其音乐的旋律运用上采取不同的对比和变化手法,以此来丰富松阳高腔的音乐。在松阳高腔的唱腔句式或唱句中,运用戏曲音乐的高低长短、间断歇续以及紧慢等对比变化。高与低的变化主要是在乐句与乐句之间旋律音区的高低对比,如第一、二乐句都是在高音区行进,到了第三乐句便转而到中音区,从而形成乐句之间的自然对比,也可以是从较低音区向较高音区发展,或是先从较低音区行进到高音区之后又回到原来的音区;长与短的变化主要表现在某些唱字的延音多少,延音较长便形成拖腔;多与少的变化主要表现在字少腔多和字多腔少上;歇与续,在唱腔行进中多在过门中出现,有时过门时唱腔暂停则为歇,而有时则是唱腔与随唱伴奏同时进行,没有间断则为续;止与延在唱句中的主要表现形式便是休止符的穿插运用,有休止则为止,连续不断的唱句则为延;紧与慢的变化主要是与唱腔中唱词相关联,主要形式有从紧快向松慢变化,或是从松慢向紧快变化。

谱例 4-23　唱词由松慢转向紧快

| 5 3 | 2 1 6 | 2 | 6 3 | 5 3 5 | 3 | 2 5 5 1 | 2 |
| 三 个 | 同 头 | 睡, | 四 个 | 脚 下 | 眠, | 拉 令 拉 热 | 相 |

| 2 5 5 1 | 2 |（略）
| 拉 令 拉 热 | 相 |

谱例 4-24　唱词由紧快转向松慢

廿
| 6 - 3 - - - | 5 7 | 6 - - - | 5 3 | 2 - 5 7 | 6 - - 6 |（1/4）
| 想（那） | 当初（哎） | 姐妹（哎） | 双双（哎） | 去 |

| 6 5 3 | 2 2 3 | 5 6 3 | 3 6 1 | 2 | 2 6 | 2 6 |（略）
| 那 | 哟, | (嘟) | (啊) | (吉打 | 吉打 | 仓) |

（二）唱腔词格

　　松阳高腔的词格形式可分为三大类：长短句、五字句和七字句。第一类长短句是指每句唱词的字数或超过七个字，或少于五个字，也有时会混杂着七字句和五字句。下表所示的两段例子中的唱词均属于长短句结构。

《赐神剑·四姐自叹》 （李仲胜演唱）	《鲤鱼记·张天师画八卦》 （李伯南演唱）
想当初姐妹双双去那游 打开云雾来观看， 观看凡间好世界， 鸳鸯成对蝴蝶又成双 ……（略）	一心拜请， 奉神拜请， 拜请山天门下马将军， 今日拜请无别事， 捉拿东海鲤鱼精。

长短句词格图

（三）区域特征

松阳高腔自古以来便是高腔体系中独立的一支，在发展过程中从未有与其他声腔剧种搭班演出的经历，长期流行于以丘陵、盆地为主要自然地理风貌的浙南山区，可以说特定的自然环境是松阳高腔生存、发展以及创新、传承的先决条件。各个区域所处的不同地形、地貌以及气候条件，为造就不同的文化传统做了陈设铺垫。因此，松阳高腔所反映的意识形态、思想感情、道德观念及精神状态等方面无不与当地人民的生活息息相关。

（四）审美特征

台湾地区学者曾永义指出：中国戏曲乃是以诗歌为本质，密切融合音乐、舞蹈，加上杂技，而以讲唱文学的叙述与象征的方式，通过俳优以代言体搬演变化而表现出来的。作为一种综合性艺术，松阳高腔本身便受到其他各种文化形式的影响。但不能否认的是，它依然是以审美为核心，以激发接受者的审美体验为目的，是属于一种集体的审美创造，更多地指向审美大众的感性娱乐与沉醉气息。因此，松阳高腔中所呈现出的综合性、写意性和程式化等特征都与当地人民的审美要求、艺术情趣以及欣赏习惯是协调一致的。首先是综合之美，松阳高腔的每一次舞台表演，都是服装、化妆、音乐、舞台以及演员的演唱等众多因素的集合亮相，为了凸显艺术性，各个元素并非是以简单的生活化出现，而是经过艺人的艺术化处理。例如，生、旦、贴等的化妆，皇亲贵族、平民百姓、妖魔鬼怪等的服装，展现武将出征的场面和才子佳人的相会场景，忠臣与奸臣的舞台行为举止等都是依据大众的审美取向而有所不同，展现出了其综合之美。其二便是写意之美，处理艺术与生活的关系上，松阳高腔也与其他戏曲一样，并非一味地追求形似，而是努力追求传神写意之美，达到神似：十万八千里路程在戏曲舞台上只要走一个圆场就可抵达；漫漫长夜，几声更鼓就可以夜尽天明；千军万马，四个龙套即可代表。可以说写意性的表演将舞台的假定性与观众的想象力相结合发挥到了极致，促使审美主体与客体之间达成了一种自然的默契。例如，松阳高腔表演中常被艺人使用的面具，其出现时所代表的表演角色，都能很自然地被观众所接受和认可：如老虎面具、牛头面具、猴面具、马面具或者是弥勒佛等面具；或是演绎铁拐李、雷公、财神等角色的半面具，以及露出嘴巴，盖住嘴以上部位的扮演土地公、狐狸精、蛇妖头、鸡妖和龙等角色的半段面具。其三便是表演中的程式之美，在表演之中，不论是角色行当、音乐唱腔、化妆服装,都存在程式化现象。例如,在桌上摆放剑、令旗和椅子来表示指挥的帅帐;只要把帅帐中的剑、令旗和椅子拿掉便是表示场景转移到佛堂;洞房的场景则只需将红帐放下即可;若是要表示水井或井台的话,则只需将椅子侧边放倒即可。在角色表演和服装化妆方面也存在着一定的程式化,如白脸表现正直之人,戴帽时要"正冠"、"齐眉",走路时要迈"八字步",出手时也要"平肩";花脸则戴帽要"露额",出手时不一定与肩平,使用"满天飞"的手势。[1] 在剧本故事的展开中也具有其特有的程式化,大体而言都是以摆宴庆寿开始,逐个介绍角色上场的形式,即大部分剧情都是从摆寿宴开场,由生先出场进行自我介绍,后再一个个将演员请上台面,展开剧情,其中所用开场白也都有着相似的对白。

---

[1] 刘明明.松阳高腔的历史流变与本体形态研究[D].浙江师范大学,2012.

第五章 曲牌内涵与唱腔分析

第一节 曲牌内涵

松阳高腔唱腔的音乐结构属曲牌联缀体。一出戏曲牌的数目,连缀的次序及宫调均无定格。曲牌音乐的组成,以散句、句式为单位。常用帮腔句形式,衬词也很多,也有少数不帮腔的词句,其音乐常以双音音型及乐汇或乐句重复的形式出现在帮腔之前。帮腔句后有衬以小打击乐的过门(个别由丑、小生等男角演唱的曲牌或紧张的场面,则用大锣相衬)。

唱腔旋律属五声音阶,偶尔出现变化音,仅作装饰音用。以级进为主,间以四、五度及个别七、八度跳进,切分节奏较突出。节拍有散拍和1/4拍子两种,音域较宽。

一、曲牌类型

松阳高腔的伴奏(文场)曲牌取之于民间器乐曲,如[大调]、[过场]、[行路曲]、[调情]、[行礼调]、[和尚采花]等。其中包括道教乐曲,如曲牌[一字调]、[渔家乐]、[锁南枝]、[望重台]等。[饮酒调]、[将军令]、[满堂红]等是唱腔曲牌的变化体。伴奏曲牌根据划分标准不同,分下列类型:

(一)根据旋律分

第一类有:[驻马听]、[驻云飞]、[风入松]、[桂枝香]、[一字调]、[水红花]、[三枝香]、[一江风]、[玉芙蓉]、[不停飞]等。

第二类有:[江头金桂]、[四朝元]等。

第三类有：[混江龙]、[点绛唇]、[普天乐]和[将军令]等。

第四类有：[解三酲]、[香罗带]、[望重台]、[耍孩子]、[红衲袄]等。

第五类有：[山坡羊]、[步步桥]、[青衲袄]等。

第六类有：[古梁州]、[浪淘沙]、[长生道]等。

第七类有：[锁南枝]、[孝顺歌]等。

（二）根据调式分

以不同的定腔乐汇（见曲牌）和调式可分为下列几种（这里以调式来划分）：

羽调式：[一江风]、[步步桥]、[玉芙蓉]、[不停飞]、[下山虎]、[山坡羊]、[四朝元]、[解三酲]、[清水令]、[出台引]、[哭相思]、[懒画眉]、[驻马听]、[朝天子]、[月儿高]、[江头金桂]、[快不是路]、[慢不是路]、[望重台]等。

商调式：[风入松]、[一封书]、[桂枝香]、[一字调]、[半天飞]、[驻云飞]、[水红花]、[三枝香]、[普天乐]、[园林好]、[一步摇]等。

徵调式：[锁南枝]、[孝顺歌]、[哭调]、[三更响]、[落台尾]等。

宫调式：[北尾]、[清衲丝]、[水仙子]等。

角调式：[香罗蒂]、[耍孩儿]、[红衲袄]、[浪淘沙]、[沽良酒]、[混江龙]、[点绛唇]、[长生道]、[将军令]等。

（三）根据演奏乐器分

吹奏曲曲牌：以唢呐主奏，打鼓定节。曲牌有：[点光]、[饮酒调]、[游乐门]等。

吹打类曲牌：用唢呐加锣鼓进行表演。曲牌有：[闹头场]、[小头场]、[将军令]、[满堂红]、[万年吹]、[一枝花]、[风双台]、[大调]、[过场]、[行礼调]、[行路曲]等。

丝竹类曲牌：由笛主奏，加入二胡。曲牌有：[渔家乐]、[和尚采花]、[小开门]、[锁南枝]、[望重台]等。

丝（竹）锣鼓类曲牌：由丝弦乐器或笛加入锣鼓。曲牌有：[小桃红]、[小开门]等。

丝弦类曲牌：丝弦乐器和大鼓。曲牌有：[调情]、[一字调]等。

唱腔有调性变换、调式对置和调性更替等变化现象。也有对置性移调和段落性移调情况存在。调式建立在五声调式基础上，以羽调式为主。调式转换有：从羽调式转向商调式、从徵调式转向商调式、从商调式转向角调式、从羽调式转向徵调式、从商调式转向羽调式、从角调式转向羽调式、从徵调式转向羽调式等。唱腔对比有长短、高低、繁简、歇续、紧慢等。

演唱时，乐器笛或唢呐（筒音作5或1）、二胡（定弦6—3或2—6），以二胡主奏。小工调时，吹管筒音5，二胡定6（小字组）—3弦；乙字调时，吹管筒音1，二胡2—6弦。伴奏分文、武场，文场以及生、旦角多用笛、二胡伴奏，武场及净角多用唢呐伴奏。某些唱腔曲牌规定角色演唱和表现特定的艺术形象，堪称"特性曲牌"。如[四朝元]不适净角演唱，[护灵咒]只宜咒角，[江头金桂]适宜生、旦角色，[懒画眉]不适合净角等，[拦门撒张]演唱时无乐器伴奏。唱词结构有七字、五字、长短句等。

二、曲牌功能

[和尚采花]：表演动作用。

[饮酒调]：在表演饮酒时用。

[行路曲]：作行走动作表演用。

[凤双台]：拜将作行礼动作用（[凤双台]即[粉状台]）。

[闹头场]：演出前闹台曲。

[将军令]：换场等用。

[望重台]：过场曲或换场时演奏用。

[小桃红]：拜香时用。

[锁南枝]：百官相会时用。

[渔家乐]：换场或圆场等场合用。

[行礼曲]：作行礼动作用。

[满堂红]：表演动作时用。

[游乐门]：八仙出场时用。

[一字调]：作身段动作用。

[大调]：用在帝王、白宫出现的特定场合。

[点光]：出将时用。

[过场]：过场曲。

[调情]：用于谈情说爱场面。

三、剧目中的曲牌

《夫人戏》——［一字调］、［风入松］、［行路曲］、［江头金桂］、［驻云飞］、［玉芙蓉］、［三枝香］、［哭调］、［出台引］、［落台尾］。

《卖水记》——［点光］、［江头金枝］、［水红花］、［三枝香］、［风入松］、［玉芙蓉］、［驻云飞］、［锁南枝］、［落台尾］、［下山尾］、［解三醒］。

《拜刀记》——［点光］、［江头金枝］、［解三醒］、［行路曲］、［一封书］、［红衲袄］、［风入松］、［驻云飞］、［下山虎］。

《贺太平》——［出台引］、［驻云飞］、［下山虎］、［行路曲］、［懒画眉］、［点光］、［江头金枝］、［四朝元］。

《八仙桥》——［行路曲］、［驻云飞］、［风入松］。

《合珠记》——［点光］、［半天飞］、［画眉序］、［懒画眉］、［红衲袄］、［江头金枝］、［风入松］、［哭相思］、［普天乐］、［追柏儿］、［一封书］、［一江风］、［四朝元］、［驻云飞］、［行路曲］、［解三醒］、［下山虎］、［锁南枝］。

《黑蛇记》——［解三醒］、［风入松］、［行路曲］、［混江龙］、［玉芙蓉］、［一封书］、［桂枝香］、［园林好］、［锁南枝］、［驻马听］、［红衲袄］、［风入松］、［哭相思］、［普天乐］。

《摇钱树》——［行路曲］、［风入松］、［解三醒］、［水红花］、［江金桂］。

《火珠记》——［红衲袄］、［驻云飞］、［点光］、［锁南枝］、［耍孩儿］、［解三醒］、［驻云飞］、［风入松］、［下山虎］、［落台尾］。

《鲤鱼记》——［锁南枝］、［出台引］、［江头金枝］、［行路曲］、［解三醒］、［落台尾］、［驻云飞］、［红衲袄］、［桂枝香］、［追柏儿］、［点光］、［风入松］、［驻马听］、［一封书］、［哭相思］、［混江龙］、［清水令］、［北尾］、［懒画眉］。

《耕历山》——［解三醒］、［行路曲］、［驻云飞］、［江头金枝］、［下山虎］、［山坡羊］、［四朝元］、［行路曲］、［下山虎］。

《葵花记》——［巫常叹］、［解三醒］、［行路曲］、［清水令］、［北尾］、［风入松］、［一字调］、［阴司调］。

《三状元》——［出台引］、［一字调］、［驻云飞］、［落台尾］、［行路曲］、［解三醒］、［桂枝香］、［风入松］。

《聚宝盆》——［行路曲］、［风入松］。

《金印记》——[解三醒]、[江头金枝]、[风入松]、[行路曲]、[一字调]、[一江风]、[三更响]。

《造府门》——[懒画眉]、[解三醒]、[江头金枝]、[风入松]、[行路曲]、[一字调]。

《赐神剑》——[江头金枝]、[解三醒]、[一字调]、[驻云飞]、[行路曲]、[下山虎]、[风入松]。

《白兔记》——[混江龙]、[锁南枝]、[望重台]、[江头金枝]、[一字调]、[驻云飞]、[将军令]。

《玩花记》——[步步桥]、[红衲袄]、[驻马听]、[一封书]、[江头金枝]、[玉芙蓉]、[驻云飞]、[桂枝香]、[园林好]、[下台尾]、[点光]、[追柏儿]、[风入松]、[青衲袄]、[普天乐]。

《白鹦哥》——[驻云飞]、[江头金枝]、[解三醒]。

《白蛇记》——[玉芙蓉]、[驻马听]、[红衲袄]、[风入松]、[哭相思]。

《拾义记》——[玉芙蓉]、[追柏儿]、[驻马听]、[一封书]、[驻云飞]、[香柳娘]、[下山虎]、[行路曲]、[点绛唇]。

《判乌盆》——[解三醒]、[长生道]。

《采桑记》中《老包水牢》——[清水令]、[一字调]、[驻云飞]。

《脱靴记》中《班超留义》——[一字调]、[驻云飞]、[江头金枝]。

《五台会兄》——[混江龙]、[山坡羊]、[解三醒]、[驻云飞]。

《忠义堂》中《文显招军》——[驻云飞]。

《送米记》——[不停飞]。

《九世同居》——[浪淘沙]。

《九龙套》中《祁老搬兵》——武功戏。

《三闯辕门》——[驻云飞]、[江头金枝]。

《苏秦造钗》——[驻云飞]、[江头金枝]。

《全呆卖布》——[解三醒]、[行路曲]、[驻云飞]。

《奔走樊阳》——[混江龙]。

《芦花记》——[桂枝香]、[风入松]、[清水令]、[行路曲]、[解三醒]、[驻云飞]、[山坡羊]、[四朝元]、[水尾]、[阴司调]、[江头金桂]。

《洛阳桥》——[驻云飞]。

《小二过年》——[一字调]、[驻云飞]、[风入松]。

四、典籍中的曲牌

松阳高腔的曲牌大都沿袭南戏、宋元杂剧的曲牌名称,这在各种典籍中都有相关记载,如《曲律》《太和正音谱》中都记有[朝天子]、[点绛唇]等;《宋元戏文辑佚》中记有[不是路](包含[快不是路]与[慢不是路])、[尾声](又称[下台尾])等;《太和正音谱》中记有[沽良酒](又称[沽美酒])等;《旧编九宫谱》中记有[一枝花]、[步步桥]、[尾声]、[耍孩儿]、[风入松]、[红衲袄]、[普天乐]、[新水令](又称[清水令])以及[驻马听]等;《南九宫谱》以及《旧编九宫谱》中都记有[下山虎]、[山坡山]、[月儿高]、[一江风]、[四朝元]、[玉芙蓉]、[孝顺歌]、[懒画眉]、[画眉序]、[金钱花]、[哭相思]、[浪淘沙]、[驻云飞]、[桂枝香]、[解三醒]、[锁南枝]、[青衲袄]等;《琵琶记·目间问衷情》《织锦记·槐荫相会》等古曲本中也记有[江头金桂]、[水红花]、[一枝香]、[香罗带]、[一步摇]、[半天飞]以及[九调]等。

五、曲牌的表现形式

在松阳高腔的曲牌中,具有声腔剧种鲜明演唱特色的有帮腔、甩腔和衬腔等形式。衬腔,是指由衬词构成的一种演唱形式。这种演唱形式在我国的某些戏曲声腔中存在,但因为衬字所构成的衬腔太少,不成特色,一般都不列为唱腔中出彩的部分。而松阳高腔中的衬字衬腔,不仅在每一支唱腔曲牌中都能看到,而且还有完全以衬字组成的唱腔乐句。由此,衬腔是松阳高腔曲牌的主要表现形式之一。因此,分析与研究曲牌的表现形式,无疑对探讨松阳高腔有着重要的意义与作用。

松阳高腔是我国现存最古老的声腔剧种之一。被专家学者称为"戏曲的活化石",在漫长的历史演变中,其唱腔、表演与其他各个组成部分,从未经过文人的修饰或加花点缀,从古至今一直保持着原始的本来面目。在松阳高腔的唱腔中,可十分清晰地看到那种脱胎换骨或融化于民间音乐的最为原始的样式。如民歌中常出现的由衬字构成的演唱方法,在松阳高腔的衬腔里处处可见。如(谱例5-1)松阳民歌(小调)《摇篮曲》中出现的衬字唱法与(谱例5-2)松阳高腔唱腔曲牌《水红花引子》及(谱例5-3)《一字调》中起唱的散唱部分出现的由衬字构成的衬腔。

第五章　曲牌内涵与唱腔分析

谱例 5-1　松阳民歌《摇篮曲》

1 = C

（乐谱）

小宝　宝（哎），　　快快　睡（哎），　　快快　睡。

谱例 5-2　松阳高腔曲牌［水红花引子］

1 = ♭D

（乐谱）

夫妻　折散（哎）　浮桥　上（啊），打散鸳鸯两处　飞。

——选自《合珠记·浮桥赠珠》

谱例 5-3　松阳高腔曲牌［一字调］

1 = ♭E

（乐谱）

好 不 启 两 人（也）　　　　　　　　　想（哪）

当初（哎）　姐妹（哪）双（哎）

——选自《赐神剑·四姐自叹》

松阳民歌《摇篮曲》与松阳高腔曲牌［水红花引子］在形式和风格上几乎一致，民歌的衬字与高腔的衬腔所形成的效果也大致一样。松阳高腔唱腔曲牌［一字调］起唱部分与松阳民歌《摇篮曲》也是如此，只不过在松阳高腔唱腔曲牌中又加入了打击乐的连接部分；另外，衬腔中出现的衬字与民歌相比更加充裕、丰富，从而形成了戏曲化效果的衬腔形式。

松阳高腔唱腔中的衬腔由诸多衬字组成，常用的衬字有不、罗、嗬、呐、那个、啊、哎、哇、的、嗳、口外、安、多、嗨、嘿哪、噢、啦、依、来、呀、哟、唉、哈、嗯、唷、呢、得、么、也、咿、咦、末、乎、呵、吼、各、幺、么等。衬腔在松阳高

腔唱腔曲牌中,常有以下几种表现形式:

1. 句中衬腔

句中衬腔一般用在唱腔曲牌的句式结构之中,无论是上下句结构中的上句或下句,或是四句体结构的任何一句里,都有穿插于唱句之中的衬字。句中衬腔又划分为唱字前和唱字后出现的衬腔两种表现形式。如选自《鲤鱼记·送茶招亲》的一段。

谱例5-4　松阳高腔曲牌[驻马听]

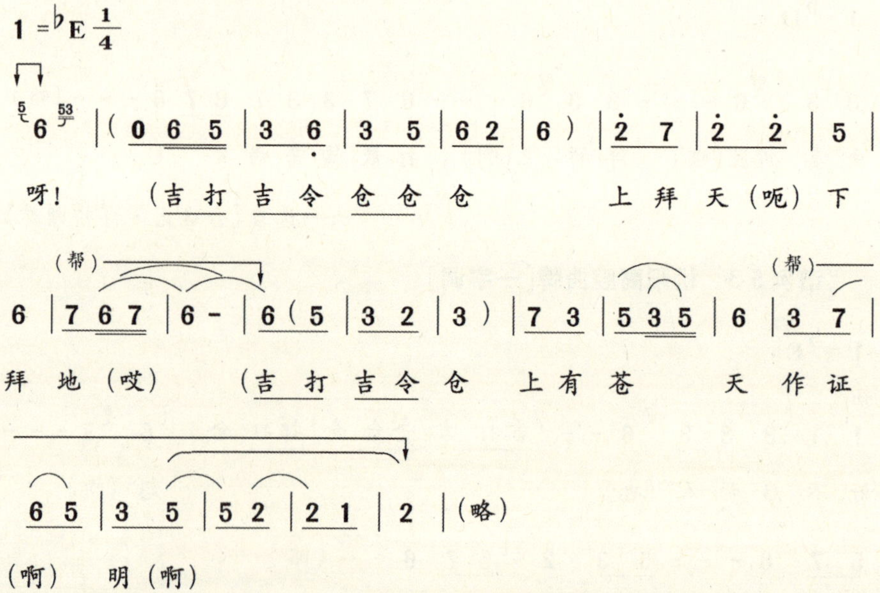

（乐谱略）

——选自《鲤鱼记·送茶招亲》

注:例中"⬇ ⬇"为甩腔;(帮):指帮腔。

例中的[驻马听]曲牌起唱的"呀"是衬腔,放在"上拜天(呃)下拜地(哎)"这第一唱句的唱字之前,构成句中衬腔唱字前出现的表现形式;而在第一唱句中出现于唱字后的"呃"与"哎",以及在第二唱句中出现于唱字后的两个"啊",则构成句中衬腔的另一种表现形式,即唱字后出现的衬腔形式。

2. 句尾衬腔

句尾衬腔出现在唱腔曲牌中每一个唱腔乐句的最后一个唱字(词)所连接的由衬字所形成的衬腔。在松阳高腔唱腔曲牌中,句尾衬腔是一种有规律性、有明显演唱风格特征的衬腔演唱形式,它在以 1/4 节拍构成的唱腔曲牌中表现得尤为突出。

谱例 5-5　松阳高腔曲牌[耍孩儿]

[耍孩儿]

（吉打　吉令　仓仓　仓）我且将（哎）

$1=♭E$

（帮）

| 1 1 | 6 5 3 5 | 6 5 | 6（6 1 | 6 5 | 3 5 | 6 5）| 3 3 |

身来变　　化（哎）（吉打　吉令　仓仓　仓　变化

（帮）

| 3 5 | 6 1 | 3 5 3 | 5 | 1 | 6 5 | 3 5 1 2 | 3（2 | 3 2 |

耗鼠去　逃　生（啊）　　　　　　　（吉打　吉令

| 3 6 | 0）‖

仓）

——选自《夫人戏》

3. 衬腔乐句

衬腔乐句一般指唱腔曲牌中的唱腔乐句均由衬字（词）组成,它往往与帮腔、甩腔同一时间进行,描绘出高亢、辽阔、宏伟、激越的音乐形象,呈现出空谷回声的音乐效果。乐句衬腔,往往出现在唱腔曲牌的结束部分。

谱例 5-6　松阳高腔曲牌[一江风]

$1=♭E \dfrac{1}{4}$

（帮）

|（2 2 | 2 7 | 6）| 5 7 | 7 | 6 7 6 5 | 3 5 | 2 3 | 5 6 7 |

（吉打　吉令　仓）（啊咦）

$\overset{\frown}{6}\,(\,\overset{}{6}\ \overset{}{5}\ |\ \overset{}{3}\ \overset{}{2}\ |\ \overset{}{3}\,)\,\|$

（㐖 打　㐖 令　仓）

——选自《夫人戏》

上例的结束句是以衬字"啊咦"两字构成的乐句。在松阳高腔唱腔曲牌 1/4 节拍的结构中,每一唱腔乐句常配以小锣等打击乐终结,例中前面省略部分出现的小锣等,暗示了前面的乐句已完成,之后即以"啊咦"形成完整的衬腔乐句。

六、语音分析

松阳高腔唱腔中的衬腔是声腔剧种中最具代表性的演唱形式之一。研讨衬腔这一表现形式及与舞台语音的关系,毫无疑问会对研究松阳高腔这一古老的戏曲剧种起到一定的帮助作用。松阳高腔是高腔声腔系统中独立的一支单声腔剧种,其音乐扎根于民间,有浓重的乡土气息,直到现在仍保持着古朴的艺术形态。其音乐,吸收了当地的民间曲调,如民歌《五更歌》《送花》《闹五更》等,又经艺人的长期实践,最终成就了松阳高腔唱腔曲牌[清纳丝]、[青纳袄]、[驻马听]、[三更响]等。松阳高腔的唱腔使用曲牌联缀体制,其结构形式和演唱方式十分独特。对松阳高腔唱腔曲牌的结构方式和演唱方式进行多视角、多层面的理论研讨,从而弄清楚松阳高腔唱腔曲牌独特的结构和演唱形式,为人们欣赏这一古老的艺术,探索松阳高腔的审美价值,推进松阳高腔的发展,提供更加真实、更有意义的理论依据。衬腔是松阳高腔唱腔中最具代表性的演唱形式之一,根据衬腔在唱腔中的分布情况,形成这种有规律性的演唱方法。衬腔是由许多衬字组成的,然而,衬字是否与演唱乐句的字词有关系? 为什么在松阳高腔的唱腔中有这么多的衬字衬腔? 我们在分析研究松阳高腔的舞台音调中,找到了它的成因,并概括为以下两个方面:

（一）语音关系

舞台语音是以当地方言"官腔"为母体。而所谓"官腔",是指在当地方言中略带有普通话语音的发音效果,由它构成舞台语音的基本。松阳高腔的舞台语音是以当地方言的"官腔"为母体并伴有浙江方言及中州音韵组合而成,唱腔中唱词发音是依托舞台语音而形成的。生活方言中常用的衬字(如去哪儿"啊"?去哪里"噢"?)与民歌中出现的衬字结合,使松阳高腔唱腔中的衬字衬腔自始至终都维系着以地方方言的"官腔"为基础的舞台语音体系。

（二）唱字连接

松阳高腔唱腔中出现很多由衬字组成的衬腔,衬词在诸多情况下是与所连接的唱词发音有关系的。在句中、句尾衬腔中表现得尤为清楚。它们之间的关系主要表现在所连接的唱字的发音效果上,如例中的"夫妻拆散（哎）浮桥上（啊）"中的"散"与"哎"、"上"与"啊"等。

七、曲牌结构

松阳高腔唱腔属曲牌联缀体制,在唱腔衍化过程中,为了表现剧情、刻画人物性格、描写环境等的需要,在曲牌的组织结构上形成了较为严谨的格律。如下面剧目中主要唱腔曲牌的组织结构情况是:

《夫人戏》中的主要唱腔曲牌由[一字调]、[江头金桂]、[玉芙蓉]、[风入松]、[驻云飞]、[行路曲]、[三枝香]、[出台引]、[落台尾]等构成;

《耕历山》中的主要唱腔曲牌由[驻云飞]、[解三醒]、[江头金桂]、[行路曲]、[下山虎]、[山坡羊]、[四朝元]等组成;

《合珠记》中的主要唱腔曲牌由[点光]、[半天飞]、[画眉序]、[懒画眉]、[红衲袄]、[江头金桂]、[风入松]、[哭相思]、[普天乐]、[追拍儿]、[一封书]、[一江风]、[四朝元]、[驻云飞]、[行路曲]、[解三醒]、[下山虎]、[锁南枝]等18支曲牌构成;

《白兔记》由[混江龙]、[望重台]、[锁南枝]、[江头金桂]、[一字调]、[驻云飞]、[将军令]等组成唱腔的曲牌等。

这种由数支曲牌组成演唱方式,形成了松阳高腔唱腔曲牌的基本结构方式。

松阳高腔的唱腔,一般会根据不同唱腔音乐的结构关系而形成一定的共性,展现在曲牌的定腔乐汇和调式相类似的唱腔曲牌中。如宫调式唱腔曲牌[北尾]、[水仙子]、[清衲丝];商调式唱腔曲牌[风入松]、[一封书]、[桂枝香]、[一字调]、[半天飞]、[驻云飞]、[水红花]、[三枝香]、[一步遥]、[普天乐]、[园林好]等。特别是旋律大致相似的唱腔曲牌,如[驻马听]与[一江风]、[不停飞];[普天乐]与[混江龙]、[点绛唇];[望重台]与[香罗带]、[耍孩儿];[古梁州]与[长生道];[山坡羊]与[步步娇];[锁南枝]与[孝顺歌];[江头金桂]与[四朝元]等。这些定腔乐汇,调式或旋律相同的结构关系,是早期高腔声腔唱腔曲牌一曲多种变化的结果,它反映了艺人们对唱腔曲牌观念的稳固性和演唱艺术习惯的提炼。这些相同或类似结构关系的唱腔曲牌,仍然保持其音乐个性,它们之间既有共同点,又有不同点。因此,当艺人们演唱在结构上有关系或共性的唱腔曲牌时,让观众欣赏到松阳高腔唱腔曲牌性格的异同。一些老艺人讲:正是由于抓住这些定腔乐汇,在曲调或调式上相接近的缘故,因此演唱起来就相当容易上口,并使它们代代传承。也是基于这种唱腔曲牌之间的密切联系及音乐之间所具有的共同特性,使这一优秀的传统声腔剧种传承至今。

八、曲牌演唱

松阳高腔各剧目的早期高腔声腔所具有的共同特点,即由数支唱腔曲牌联缀构成。在唱腔曲牌演唱方式上与各高腔声腔剧种具有共同特性。但在松阳高腔唱腔曲牌的演唱中,演员根据剧情发展的需要、人物的不同境遇、戏剧矛盾而产生的感情起伏所形成的"甩腔",即用假声进行唱调旋律形成高八度的演唱,是松阳高腔不同于其他高腔声腔剧种而独具特色的演唱方式。在由衬词形成的演唱方式中,就有包括在"甩腔"中的衬字衬词如"阿咦"、"呀"、"也"、"呀么"、"那"、"嗳嘿"、"衣"、"哎"、"嗯"、"呃"等,由此形成的"衬腔",也是松阳高腔唱腔曲牌独特的演唱方式。松阳高腔的唱腔中,其衬字衬词分布很广,几乎分布在每支曲牌上。由此,"衬腔"这一戏曲声腔演唱方式,在松阳高腔中,也同样十分独特。

无论是什么样门类的艺术,其目的都在于使欣赏者产生一定的审美感染力。感染力越强,便越能得到欣赏者的喜爱,收获的艺术效果也就越佳。戏曲是一种影响力很强的舞台表演艺术,无论是演员的表演,或是舞台道具、舞美等,都会对观众产生强烈的审美感染力。其中最为重要的是唱腔,它代表着戏曲声腔剧种的本质,是区别不同戏曲剧种的标志。因此各戏曲都会在唱腔方面花费大量心血,以达到最佳的艺术审美效果。据老艺人回忆说:早期的松阳高腔无管弦伴奏,而后的有管弦伴奏的剧种,观众们比以前更加喜欢,所以松阳高腔也用上了管弦伴奏。在对松阳高腔唱腔曲牌演唱方式进行系统分析时,会发现其唱腔还运用了不同的对比方式来美化唱腔,赋予唱腔新的活力,使它产生强烈的感染力,得到更好的戏剧表现效果。具体表现在以下几个方面:

(一)唱腔前后句的音高对比演唱方式

以唱腔曲牌为依托的演员的演唱,最能体现戏曲艺术的舞台效果与感染力。松阳高腔的唱腔由曲牌提供,其一是固定唱腔;其二是为适应烘托人物与剧情等需要而进行的曲牌变化。如在某些特定的戏剧冲突中,安排对比性较强的唱腔曲牌,来突出戏剧矛盾,进而增强戏剧性效果。

谱例5-7 松阳高腔曲牌[驻马听]

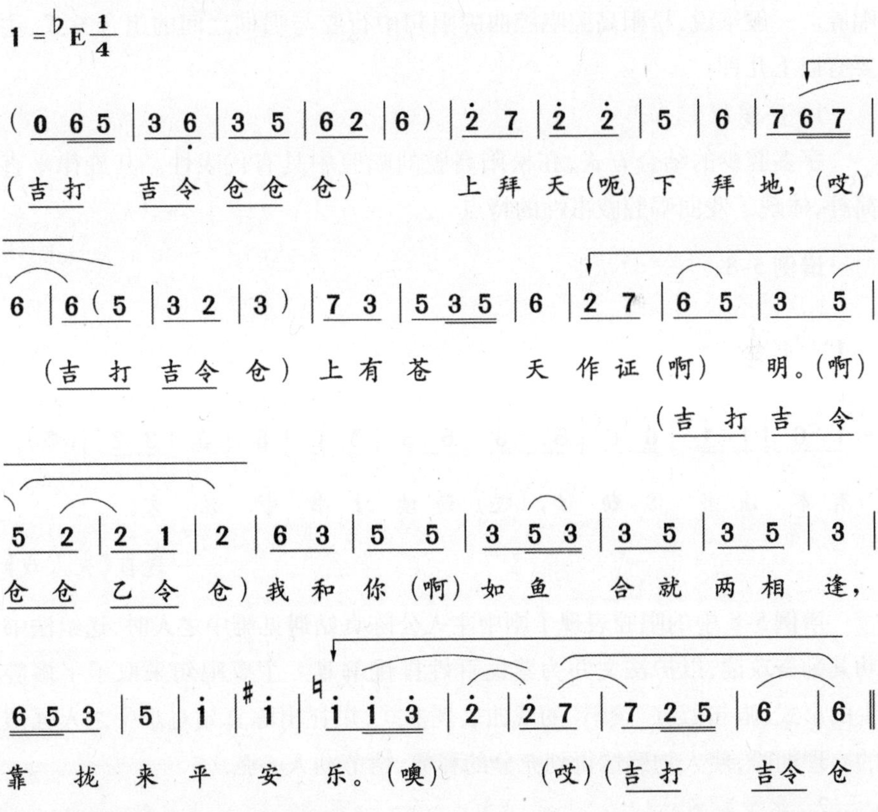

——选自《鲤鱼记·送茶招亲》

注:谱例中"⌐⌐"为甩腔,"⌐⌐"为帮腔,下同。

上例中的第一、四唱句与第二、三唱句形成唱句句式间旋律高低的对比变化,表现剧中人物鲤鱼精在十分激动的状态下,急促求爱的特殊情感。从"上拜天下拜地,上有苍天作证明"到只要"如鱼合就"就一定"平安乐",将主人公鲤鱼精沐浴爱河,渴望过上人间生活的内心情感,通过唱腔曲牌句式间旋律高低的对比变化全然而毫无保留地释放出来。

在一般的剧情中,曲牌[驻马听]没有这么多的高音,松阳高腔唱腔曲牌为适应剧情发展及人物表现的需要,而对原曲牌进行加花点缀,形成在不改变该曲牌原有甩腔、帮腔、衬腔的调式、调高及其相关演唱风格的前提下的句式间旋律高低音对比的演唱方式。

(二) 唱腔与唱词疏密的对比演唱方式

戏曲是一种综合舞台艺术形式,音乐与文学的密切结合,形成了戏曲的唱腔。一般来说,松阳高腔唱腔曲牌唱句中行腔与唱词之间的组合方式,主要有以下几种:

1. 字多腔少

字多腔少的结合方式,在松阳高腔的唱腔中具有代表性。其旋律平直简朴,体现了戏曲唱腔叙事性的特点。

谱例 5-8

$1 = {}^{\flat}E \quad \frac{1}{4}$

| i 6 | i i | 6 6 | 5 3 | 6 3 | 5 6 | 5 | 5 | 3 2 |(略)

有 本 法 书 你 勤 读,(哎)勤 读 法 书 护 法 文。

——选自《夫人戏》

谱例 5-8 中的唱腔表现了剧中主人公陈真姑遇见难中之人时,送给法书劝其勤奋攻读,以护法文并为黎民百姓排忧解难。主要唱句采取了字多腔少的形式,唱句似有"滚唱"的戏曲表现形式,烘托出陈真姑对难中之人强烈的心理期盼,使人物感情得到充分的释放,情节动人心弦。

2. 字少腔多

字少腔多的结合方式,在松阳高腔的唱腔中也有所表现。其旋律委婉曲折、起伏跌宕,体现了戏曲唱腔抒情性的特点。

谱例 5-9

$1=\flat E \; \frac{1}{4}$

6 5 | 3 5 | 6 3 | 5 5 | 3 6 2 | 6 5 3 | 5 3 5 6 | 2（2
我今　去学　法。(咦)　　　　　　　　　　　　　　　（吉 打

2 7̣ | 6̣ 5̣ ）|（略）
吉 令　仓 ）

——选自《夫人戏》

上例，从去学法的"法"字上开始进行四小节的拖腔，旋律抒情跌宕，起伏悠长，表现了剧中人决心去学法，抒发出对"学法"之后，要替广大黎民百姓解救灾难的内心情感和强烈意志。从上述两例中字多腔少和字少腔多的唱腔表现方式中，可以看出剧中人物的心里期盼与感受，唱句让剧情及人物内心情感得到充分的表现，文词典雅，音乐动人心弦。

（三）唱腔起伏与唱词内容的协同演唱方式

如果人物感情激烈或者戏剧矛盾尖锐，其唱腔旋律跳动就会更大，唱句中行腔与唱词形成强烈的起伏，节奏和速度也有强烈变化，在这种情况之下一般采用自由的散板节拍，体现出戏曲唱腔戏剧性的功能。

谱例 5-10　松阳高腔曲牌[水红花引子]

$1=\flat D$

3 3　⁶⁷6 - - 3 3 ⁶⁷6 - - 6 7 3 3 7 6̑ 7 6 - -（略）
夫妻　折散(哎)　浮桥 上(啊)，打散鸳鸯两处　飞。

——选自《合珠记·浮桥赠珠》

谱例5-11 松阳高腔曲牌[一字调]

$1 = {}^\flat E$

廿

1 1 $\overset{5}{3}$ 3 3 $\overset{7}{6}$ - -（吉打 吉 仓仓仓 打打仓）$\overset{7}{6}$ $\overset{5}{3}$ - - -

好 不 启 两 人（也） 想（哪）

5 7 6 - - - 5 3 2 - 5 7 6 - -（略）

当初（哎） 姐 妹（哪） 双 （哎）

——选自《赐神剑·四姐自叹》

  上述两个例子表现了剧中主人公夫妻分别、姐妹分离时的那种生离死别、悲感交替的特定情境，展示了人物内心情感的强烈迸发和剧情矛盾的激烈冲突，体现了戏曲唱腔的戏剧性效果。

  综上所述，松阳高腔唱腔曲牌的演唱方式正是通过这些不同的对比变化，来烘托戏曲唱腔的表现功能，进而得到更好更高的戏曲审美价值。松阳高腔唱腔曲牌联缀体制，组织结构严谨，演唱方式遵循高腔声腔系统的帮腔形式，有着自己独特的"甩腔"演唱方法，还有以衬字所形成的"衬腔"等表现形式，同时还采取前后句的音高对比变化、唱腔与唱词疏密的对比变化，以及唱腔起伏与唱词内容协同演唱等表现方式，来烘托唱腔的表现力，使人物与戏剧情节获得更加完美的展现。松阳高腔唱腔曲牌的这些表现方式，在世代传承中不断地推陈出新，起到它应有的作用。

第二节 唱腔分析

一、帮腔

  帮腔，也称"接声"或"托腔"，是戏曲演出中后台帮唱或场上帮唱用以衬托演员的唱腔的演唱形式。帮腔的作用不仅仅在于衬托或陪衬演员的唱腔,也能代替管弦乐伴奏,还能帮助描写环境,渲染舞台气氛,刻画人物形象,这是我国戏曲音乐中极具价值的一种演唱形式。松阳高腔是一种有管弦乐伴奏,句尾由各种形式组成帮腔的高腔剧种。有时幕后的演员也参加帮腔。在帮腔时,演员往往用假声进行高八度的甩腔(本书的"甩腔"指高八度演唱部分)。

由于在帮腔的时候,演员往往要进行甩腔,而高八度的甩腔,其音难以持续,故帮腔音徐缓帮和,使音响不绝。松阳高腔的帮腔形式是高腔系统所具有的特色,它与甩腔同时进行的形式别具一格。在松阳高腔唱腔中,帮腔的形式可按不同曲牌的板式结构和曲牌句式结构中的字数(指帮腔中的字数多少)来划分,同时还可以按句式腔、衬词帮腔以及打击乐的加入所形成的帮腔等方面来区别划分。现按其基本结构,对一般的帮腔特征进行归纳。

由不同的定腔乐汇及调式组成不同曲牌构成了松阳高腔的曲牌。即每组曲牌是由一个曲牌母体衍变出来,它们之间的音乐关系是十分密切的。从曲牌的素材和旋法上分析,其曲牌类型大致可分为七类。以当地的民间音乐为基础的松阳高腔的曲牌具有独特风格的帮腔,衬字词串成的衬腔,以及在其他剧种中比较少见的与旋律形成八度关系的甩腔,都是融化了当地的民歌、民间器乐曲而逐渐形成的。当然,不同的原始音乐素材构成的曲牌是不同的,如上文已提及的民歌《闹五更》《送花》等,经艺人加工成了唱腔曲牌[驻马听]、[清纳丝]、[青纳袄]、[三更响]等,这些曲牌又经过长期实践,逐渐演变完善。

(一) 散唱中的帮腔

散唱中的帮腔,常常出现在曲牌的引子部分、结束部分。依据帮腔字数的多少主要可分为一字帮腔、二字帮腔、三字帮腔,及衬字帮腔和在句式中间部分出现的帮腔。

1. 帮一字的帮腔

谱例 5-12

$$\underline{3\ 3}\ |\ \underline{3\ 5}\ |\ 7\ \underline{6\ 7\ 6}\ |\ \overbrace{6\quad\ |\ \underline{6\ 5\ 3}\ \underline{3\ 6\ 7}\ |\ \underline{6\ 5}\ |\ 6\ 6}^{(帮)}\ \|$$

决 不 忘(啊)你 大 恩 人。(哎)

（吉 打 吉 令 仓 仓 仓 令 仓）

——选自《合珠记·殴打》

这是尾声中"人"字上出现的帮一字帮腔形式,后面接着出现的"哎"是衬字。

2. 帮二字的帮腔

谱例 5-13

$$\widetilde{6}--\underline{^{53}}\ |\ 1\ \underline{3\ 2}-6-\underline{5\ 3}\ 6\ 6\ |\ \overbrace{\underline{2\ 6}\ \underline{^{6}7}\ ^{65}3-\underline{^{53}}\ 2--}^{帮}$$

来! 叫 儿(哎) 听 启!(哎)

——选自《三状元·柳氏训子》

这个引子中的"听启"二字是帮腔,属帮二字帮腔形式,而"哎"是衬字。

3. 帮三字的帮腔

谱例 5-14

例:$\widetilde{6}-(\underline{打\ 仓}\ \underline{打\ 打}\ 仓)\ \underline{7\ 6}\ \underline{5\ 6}\ \overbrace{7-\underline{^{3}}\ \underline{5\ 6}\ 7--\underline{^{65}}\ 3-(略)}$

呀! 想听金鸡 来报晓 (嗯)

——选自《赐神剑》

4. 衬字帮腔

指专以衬字形成的帮腔。常见于曲牌的开始部分或在引子结束后出现。

谱例 5-15

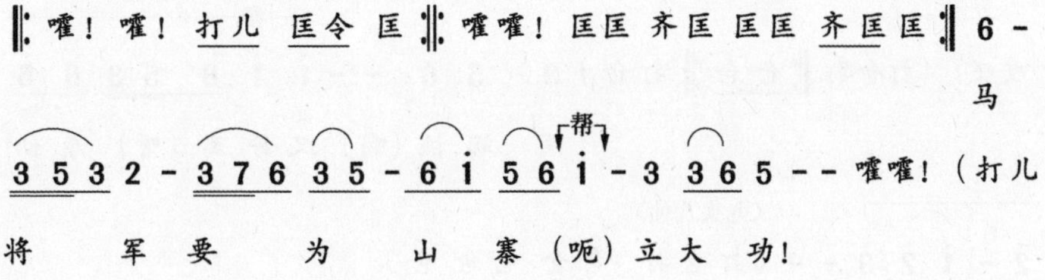

[谱例：松阳高腔曲谱，唱词"喔！喔！打儿……将军要为山寨（呃）立大功！喔喔！（打儿马"]

——选自《八仙桥·柳妖出洞》

5. 在句式中出现的帮腔

句式结构中出现的帮腔形式,是松阳高腔帮腔的特点,起突出情节的作用,对人物起烘托情绪、刻画内心思想、表达感情的作用。如下例"画不尽"的"尽"字的帮腔效果,具有表现闵损提笔画像时复杂内心思想感情的作用。

谱例 5-16

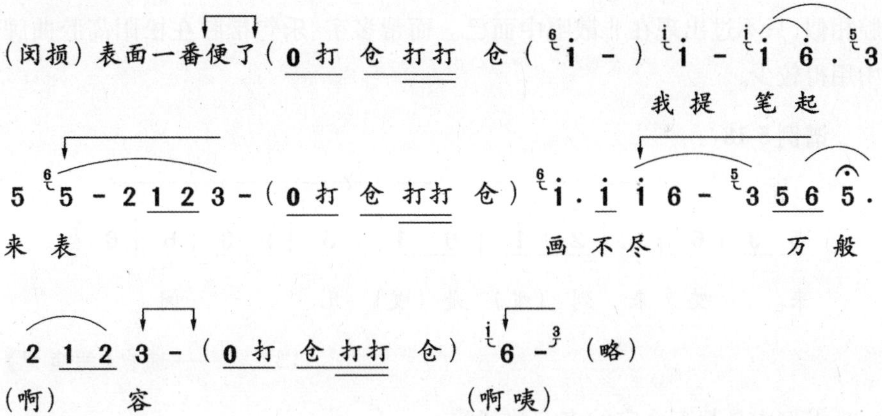

[谱例：唱词"（闵损）表面一番便了（0打仓打打仓）我提笔起来表……画不尽……万般（啊）容（啊咦）（略）"]

——选自《芦花记》

除帮一字、帮二字、帮三字帮腔,衬字帮腔,句式中间的帮腔外,还有不按字数多少而进行的帮腔。如下面例子中帮腔在唱字中占了绝大部分。

谱例 5-17

```
                                              ┌─帮─┐
哎吥!(打仓打 ‖:仓仓:‖ 打仓) 3 - 5 6 - - 1̇ 1̇ 6 5̲ 3̲ 6̲ 5̲
                         闹  蟠 桃(啊)汉钟离(呀)寿仙
```

```
 ⌒
2̇ - 1̇ 2̇ 3̇ - -  (九头八仙)
              (打仓打 仓仓 仓仓仓)
来 (哎)  到!
```

——选自《踏八仙·九头八仙》

(二) 在非散唱中的帮腔

非散唱中的帮腔与散唱中的帮腔在形式上有相似之处,按字数多少,可有帮一字、帮二字、帮三字、帮多字、衬字帮腔,以及乐句帮腔等形式。

非散唱中的帮腔节奏明晰,这是它与散唱帮腔的最大区别。其常用的帮腔形式是帮一字、帮二字、三字以及衬字帮腔四种,用法与散唱中的帮腔相似,只不过出现在非散唱中而已。而帮多字、乐句帮腔在松阳高腔曲牌中用得较少。

谱例 5-18

```
5̲ 3̲ | 6 | 1̇ | 2̇ 1̇ | 6̲ 1̇ | 5 | 5̲ 3̲ | 6 6 ‖
来    哎  来 到(哎) 是(哎) 凡      间
```

——选自《鲤鱼记》

上例中是帮五个字的多字数帮腔。

谱例 5-19

```
2̇ 7̲ | 6 6 | 3̲ 5̲ 3̲ 3̲ | 6̲ 7̲ 6̲ 5̲ | 6 | 6̲ 7̲ | 7̲ 3̲ | 5 7̲ |
女儿 (啊)若有(末)差    之事 年老 爹娘(末)靠何
```

```
6  6 | 6 6 | 6 7 | 7 5 | 3 | 3 2 | i 6 | 6 3 | 2 | 2 7 |
人(呃) 年 老 爹(咦)    娘    靠 何(啊)   (哎)

6 7 6 | 5 3 | 3 6 7 | 6 5 | 6 ‖
 人(啊)
```

谱例15-19中"年老爹娘靠何人"，这里作了整个唱句的帮腔，属乐句帮腔形式。从全段构成来看，这一句是重点。所以，这一句式帮腔增强了对人物思想感情的表现力。唱词感人肺腑，全句帮腔，显得特别深切、动人。

（三）帮腔中加入打击乐与帮腔之间的关系

在唱腔中，每一唱句结尾部常有帮腔，一般都加入打击乐，这是松阳高腔帮腔的主要特点。所加入的打击乐只是在形式上有区别，按其加入打击乐的基本规律，可分为在帮腔后加入、在帮腔中进行、在帮腔中分段加入打击乐等各种形式。现分述如下：

1. 在帮腔后加入打击乐

谱例5-20

```
6 | 6 6 | 6 5 | 2 7 | 6 7 7 | 5 | 6 7 7 | 6 | (6 6 5 |
将 身(呐) 来 变 化   变 化 那 凡 间 女(呃)    (吉 打

3 2 | 3 6) | (略)
 吉 令  仓)
```

——选自《八仙桥》

2. 加入的打击乐与帮腔同时进行

谱例 5-21

$$\underline{3\ 3}\ |\ \underline{5\ 3}\ |\ 7\ |\ \underline{6\ 7\ 6}\ |\ \underline{6\ 3}\ |\ 5\ |\ \underline{3\ 6\ 7}\ |\ \underline{6\ 5}\ |\ 6\ \|$$

万岁　江　　山　　又　难　　保

（仓　0 仓　　0 仓 仓）

例中的结束部分所加入的打击乐与帮腔同时进行，可看出在帮腔后加入打击乐以及帮腔和打击乐同时进行的两种形式之间的关系。在帮腔中，可根据需要，将"过门"中的管弦乐与打击乐所托腔的音乐改变为唱调的音乐。

老艺人吴大水、吴陈俊等人认为：帮腔有时也将"过门"唱了，是根据"气"的关系，"气"即声乐理论中提及的"气息"。气息可控制，根据气息控制长短的关系，可延续唱完帮腔中的过门或不予唱完过门。

3. 在帮腔中分段进行的打击乐

这里指的是与帮腔同时进行的打击乐采取分开进行的形式，而分开进行的打击乐，都是在同一帮腔句之内，这是一种富有色彩装饰的形式。

谱例 5-22

后来（得）如家　下（啊）　　天（咦）　　　　（啊）

（仓仓　仓仓　0 仓　　仓）

庭

（仓　0 仓　　0 仓 仓）

——选自《赐神剑》

4. 句式中同时进行的打击乐和帮腔

它是指在乐句中帮腔的那部分,帮腔与同时加入的打击乐在时值上存在着相同的关系。

谱例 5-23

$$\underline{\dot{6}} \mid \underline{\dot{6}}\dot{1}\cdot\underline{3} \mid \underline{3\ 5} \mid \underline{6\ 6} \mid \underline{6\ \underline{6\ 5}} \mid \dot{1} \mid 6 \mid 5 \mid \underline{5\ 3} \mid \underline{3\ 2} \mid$$

对　着　长　空（呃）的　叹　万

（吉打　吉令　仓仓　0仓　0仓

$$1 \mid \underline{1\ 6} \mid \dot{1} \mid \underline{6\ 5\ 3} \mid 5 \mid \underline{3\ 6} \mid \dot{1} \mid \underline{6\ 5} \mid 6 \parallel$$

仓仓　0仓　　0仓）仓仓　0仓　0仓　仓）

——选自《玩花记》

这种结构与在帮腔后加入打击乐,以及帮腔中分段进行的打击乐都有区别,与帮腔后加入的打击乐有明显的区别。它们之间的区别一是打击乐加入后有帮腔形式,另一是打击乐加入后无帮腔的形式,只是紧接的"过门"。

(四) 全乐段帮腔

全乐段帮腔出现在特殊的场面,由前台演员演唱,并由乐师等同时加入帮腔,属特性曲牌。打破一般帮腔效果,属齐唱形式(幕前幕后)。如下所唱的"九调",是全乐段帮腔。

谱例 5-24

$$\dot{1} \mid \dot{1} \mid \dot{1} \mid \underline{3\ \dot{1}} \mid 6 \mid \underline{6\ 5\ 3} \mid \underline{5\ 3} \mid \dot{1} \mid \underline{\dot{1}\ 6} \mid 5 \mid 3 \mid 3 \mid 3 \mid$$

红蟠桃汉钟离　要　仙之　祝贺,　众仙

$$5 \mid 5 \mid \underline{6\ \dot{1}} \mid \underline{\dot{1}\ 6\ 5} \mid 3 \mid \underline{3\ 5} \mid 6 \mid \underline{6\ 5\ 6} \mid 6\ 3 \mid \dot{1}\ \dot{1} \mid \dot{1} \mid$$

官　庆贺蟠桃　会,　老寿　仙庆　花烛（哎）

```
i i  i 6  5 6  i 6  i ‖
谁 愿  还   归   里
```

如例,经全乐段帮腔后,气氛大幅增强,这是松阳高腔罕见的唱腔形式。

本部分分析介绍了松阳高腔中帮腔的各种形式。帮腔,成为烘托气氛、点燃情境、剖白人物、变现声腔的艺术手段。它给音乐以极大的表现力,增强了舞台气氛。

二、衬腔

由衬字或衬词构成的唱腔称为"衬腔"。衬腔一般在唱句中或句尾等处出现。衬腔所延续的时值少则一二小节,多则十几个小节,甚至数十个小节。衬字衬腔是松阳高腔唱腔艺术的重要表现手段之一。在松阳高腔唱腔中,衬字衬腔是唱腔的一个组成部分。松阳高腔唱腔中的衬腔多是由许多衬字组成,常用的有啊、哎、哪、噢、啦、依、来、呀、哟、唉、哈、嗯、唷、呢、得、么、也、咿、咦、哇、的、嗳、口外、安、多、嗨、嘿、末、乎、呵、吼、各、不、罗、嚸、喔、呐、那个、幺、么等。用在唱腔曲牌的任何部位与任何曲式结构中。

衬字衬腔可以出现在唱腔的句中、句尾,并延续数小节。它可根据剧情需要,或者根据曲牌结构中句式的长短关系(节拍、节奏关系),以及松阳高腔的语言关系等出现不同的衬腔。依据其在曲牌中出现的位置差异,可以分为句中衬腔、句末衬腔以及乐句衬腔三种形式。

(一)句中衬腔

一般在唱句当中,无论是上下句结构中的上句或下句,或是四句体结构的任何一唱句里,都有穿插于唱句之中的衬字所形成的句中衬腔。句中衬腔又划分为唱字前和唱字后出现的衬腔表现形式。

谱例5-25

```
2̇ 7 | 6 | 6 3 | 3 5 | 6 7 5 | 6 | 6·5 | 3 3 | 6 7 5 | 6 |
可 怜  夫   不 敢 认  着 妻, 妻 又 不 敢 认  着 夫,
```

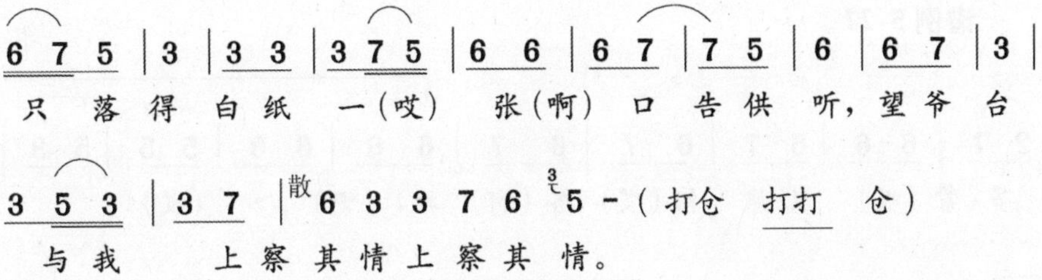

谱例 5-26

——选自《合珠记》

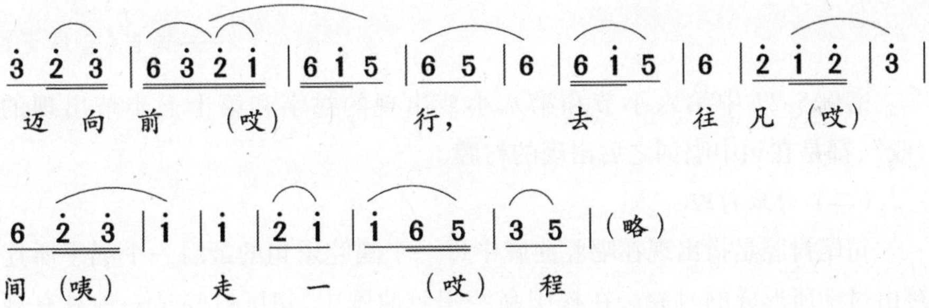

——选自《鲤鱼记》

谱例 5-25 与谱例 5-26 都是在句中穿插的衬字衬腔。谱例 5-25 中衬字"哎"和"啊"在唱句"只落得白纸一张口告供听"中点缀在"一"字和"张"字之后,形成一(哎)张(啊)的衬腔形式。

谱例 5-26 中的衬字也点缀在"迈向前行,去往凡间走一程"唱句中,形成了"迈向前(哎)行,去往凡(哎)间(咦)走一(哎)程"的有衬腔的唱腔。衬字有的落在唱字词的前面,有的落在唱字词的后面。如谱例 5-25 中的"一(哎)张(啊)"是衬字落在唱字的后面。而谱例 5-26 中的"走一(哎)程"的衬字"哎"是穿插在"程"字之前(从音乐结构上来说,它已完全独立)。所以,按上面分析,在句中衬腔中它还可以分为出现于唱词之前和出现在唱词之后两个不同位置的衬腔。

谱例 5-27

$\underline{2\ 7}$ | $\underline{6\ 6}$ $\underline{6\ 7}$ | $\underline{6\ 7}$ $\underline{6\ 7}$ | $\underline{6\ 6}$ $\underline{6\ 3}$ | $\underline{5\ 5}$ $\underline{5\ 3}$ |

多 蒙（哎） 乳娘 相（哎）搭（啊）救，（嗯） （哎）

$\underline{3\ 5}$ | 2 $\underline{6\ 5\ 3}$ | 5 7 | $\underline{6\ 6}$ $\underline{6\ 5\ 3}$ | $\underline{5\ 5}$ $\underline{5\ 3\ 7}$ | $\underline{6\ 7\ 5}$ 6 ‖

搭救 书 生 重 回 归。（哎）（吉打 吉令 仓）

——选自《合珠记》

谱例5-27中第六小节和第八小节出现的衬字和第十七小节出现的"哎"，都是在句中唱词之后出现的衬腔。

（二）句末衬腔

句尾衬腔是指出现在唱腔曲牌中每一个唱腔乐句的最后一个唱字所连接由衬字所形成的衬腔。在松阳高腔唱腔曲牌中，句尾衬腔是一种具有规律性的、有突出演唱风格特征的衬腔演唱形式，它在以1/4节拍构成的唱腔曲牌中表现得更为突出。

谱例 5-28

$\dot{2}\ 7$ | $\dot{2}\ \dot{2}$ $\underline{6\ 6}$ | $\underline{7\ 6\ 7}$ $\underline{6\ 5}$ | $\dot{3}\ 5$ | 5 $(2$ | $\underline{2\ 1}$ $2)$ |

乌云 当（啊） 作（啊）青云 （啊） 上 （啊）

（吉打 吉令 仓 仓仓 仓）

$\dot{2}\ 7$ | $\dot{2}\ \dot{2}$ 5 | 6 $\underline{7\ 6\ 7}$ | 6 | $6\ (5$ | $\underline{3\ 2}$ $3)$ |

青云 有路 终 须 到（啊）（吉打 吉 令 仓）

在谱例5-28中最后一个衬字"啊"所形成的衬腔，便是句尾衬腔。也就是在一个唱腔曲牌中，由每唱句最后一个唱字词所连接的衬字所形成的衬腔。这种在句尾形成的衬腔，在松阳高腔唱腔中较为多见。

（三）衬腔乐句

它是指唱腔曲牌中的唱腔乐句均由衬词组成，往往与帮腔、甩腔同时进行，描绘出高亢、辽阔、激越的音乐形象，呈现出空谷回声的音乐效果。以乐句为表现手法的衬腔一般出现在唱腔曲牌的结尾部分。

谱例 5-29

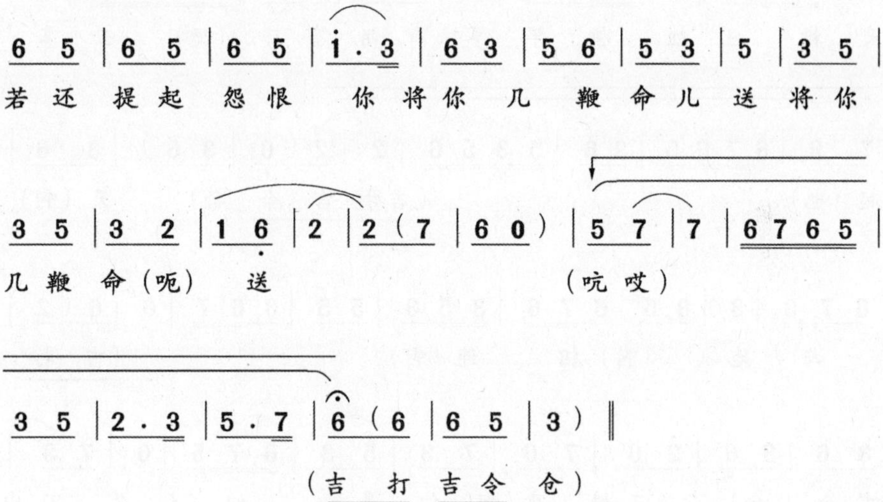

```
6  5 | 6  5 | 6  5 | 1· 3 | 6  3 | 5  6 | 5  3 | 5  | 3  5 |
若 还   提 起   怨 恨   你 将   你 几   鞭 命   儿 送   将   你

3  5 | 3  2 | 1  6 | 2  | 2 (7  6  0) | 5  7 | 7  | 6 7 6 5 |
几 鞭   命 （呃）送        （吭 哎）

3  5 | 2· 3 | 5· 7 | 6 (6  6  5 | 3) ‖
（吉    打    吉  令  仓）
```

——选自《黑蛇记》

谱例 5-29 就是"独立"的衬腔乐句。谱例中的"吭哎"，完全依附于旋律，但与唱词不发生任何关系，故而衬腔乐句具有较强的"独立性"。

（四）其他类型衬腔

在其他类型的衬腔中，不同结构的曲牌，以及速度上的变化、节奏的对比、时值的长短、力度的差异关系，所延续的小节数的多少和人物感情的不同处理，都构成了不同的形式。

（1）由于节奏自由（散唱特点），形成衬腔的速度和节拍也随节奏上的变化而自由变化。

（2）由于垛句（即叠句）是在节拍相对严格的拍子唱腔中，节奏紧凑、急促，形成乐句结构也更为短小；旋律虽有起伏，但字字紧叠，字密腔简，常有一字一音形式出现。用以叙事，常表现人物的激动等场面，所形成的衬腔也相对地在节奏、节拍、时值等方面保留叠句固有的特色。

谱例 5-30

```
6̆ 5 3 6̆ - - - - - - - - - - 6 5 | 3 5 | 6 7 5 |
三  娘  哪（吉打 吉令 仓仓 仓仓 仓 打打 仓）此 乃是 三月

6 | 6 7 5 | 6 | 6 7 5 | 6 | 7 7 | 5 6 | 6 7 6 5 | 3 |
天 桃 吐 红， 柳 竿 竿 有 朝 有 日 （呃） 云 雾

7 6 | 6 7 6 5 | 3 6 | 5 3 5 6 | 2 | 2 (6 | 3 6) | 3 6 |
起 (也)                （吉 打 吉 令 仓） 天 (啊)

6 7 3 | 3 | 3 5 | 6 7 6 | 3 5 3 | 5 5 | 3 6 7 | 6 | 6 (2 |
与 地 (啊) 相  连 (啊)                    （吉 打

3 6 | 3 6 | 2 6 | 7 6 | 7 3 | 5 3 | 6 7 5 | 6 | 7 3 |
吉 令 仓） 三 娘 妻(啊) 你 是 个 妇 人 家 不 出

3 5 | 6 | 7 3 | 5 3 | 6 7 5 | 6 | 6 7 5 | 6 | 6 7 5 | 6 |
闺 门，那 晓 得 三 月 天 桃 吐 红，柳 竿

7 7 | 5 6 | 6 7 6 5 | 3 | 6 7 6 | 5 6 3 | 3 6 7 | 6 5 3 |
竿， 有 朝 有 日 云 雾 起 (呃)

5 6 2 | 2 (6 | 3 6 | 3 6 | 3 | 6 7 | 7 3 | 3 5 | 6 | 6 7 3 |
（吉 打 吉 令 仓） 哪 晓 得 地 与 天 来

5 5 | 3 6 7 | 6 | 6 (2 | 3 6 | 7 7 | 5 6 | 7 6 | 6 6 7 | 3 |
相 (啊) 连         有 朝 有 日 云 雾
```

```
  5 6 | 2 5 | 6 7 | 6 5 | 5 3 | 3 2 | 2 1 | 1 3 | 2 | 2 ‖
  起 (呃)           (吉打  吉令  仓仓  仓仓  打儿仓)
```

——选自《合珠记》

谱例 5-30 中第一次出现的叠句无衬词,唱句是"此乃是三月天桃吐红";第二次出现叠句时,只有一个"啊"字,穿插于"三娘妻(啊)你是个妇人家"唱句中;第三次出现叠句时,也无衬字穿插,唱句是"哪晓得地与天来"。

三句叠句中所出现的衬字衬腔只有一个"啊"字。从而与它相接的衬腔形成鲜明的对比。

三、甩腔

甩腔在松阳高腔的音乐形态中也相当重要。甩腔主要有叫头甩腔、引子甩腔、散句甩腔和非散句甩腔。在松阳高腔唱腔中,演员往往根据人物的不同境遇和感情,由戏剧矛盾的起伏、转变等变化而形成甩腔,用假声进行高八度演唱。常用衬字"哝、呀、啊、咦、嗳、哎、嗯、呃"等演唱。这一唱法构成了"百鸟喧闹,空谷回声"的山村色彩和高爽秀丽的情景,独具一格。("甩腔",戏曲通俗指唱段结束句的煞板唱腔。本章以调高八度演唱称为甩腔高八度,故特称为"甩腔"。)

按甩腔发生在唱腔曲牌中的不同部位,可分为不同的形式。(为了区别与帮腔的关系,特定在甩腔中用"┌┐"记号予以标记。帮腔记号以"┌─"标记,前章内容已详见。)

(一)叫头式甩腔

这种甩腔形式在"叫头"中出现,一般情况下出现在这种形式的甩腔之后紧接以打击乐,继而出现前奏过门。"叫头式"甩腔根据它和音乐的结合与不结合关系,分为带唱调的甩腔和不带唱调的甩腔两种。无音乐伴奏,都是以嗓子喊叫以展现其叫头的效果。一般情况下,此形式在曲牌的演唱之前便会紧接着引出打击乐。

```
呀 (吉打  吉令  仓仓  仓令  仓)
```

注：选自松阳高腔《夫人戏》，句首中的"呀"字便是一个由唱腔演员直接以直白嗓子喊叫出来的腔调，这个"呀"便可称为上文提及的叫头甩腔，后接的便是打击乐器的开场演奏。

叫头式甩腔依据其是否有唱调相配，可分为不带唱调的叫头式甩腔和带唱调的叫头式甩腔。

1. 不带唱调的"叫头式"甩腔

谱例5-31

（张真）报！呀得！（ 0 打 仓 打打 仓仓 . ）（ 6 - ）

——选自《鲤鱼记》

谱例5-31是不带唱调的"叫头式"甩腔，它发生在"叫头"的部位。甩腔接在"报"字之后，连接的两个衬字"呀得"甩腔；不带任何唱调和紧接以打击乐，引导出现（前奏）过门。

2. 带唱调的"叫头式"甩腔

谱例5-32

6.5 3 -（吉 打打 仓仓仓仓 打打 仓）‖: 3 6 5 6 5 3 |
呀

2.3 | 3.6 5 6 5 3 | 2.3 5 6 5 | 3 5 3 2 1 2 3 5 | 2 - :‖

——选自《卖棉纱》

谱例5-32是衬字"呀"上带有唱调而出现的甩腔，属带有唱调的"叫头式"甩腔，其特点是紧接打击乐继而出现前奏过门，这一点与不带唱调的"叫头式"甩腔相同。

（二）在引句中的甩腔

有音乐伴奏，一般也出现在曲牌演唱之前，且打击乐也是紧随其后出现。

引句又称引子（艺人语），是继叫头和前奏过门之后，在第一乐句中以散唱形式出现的甩腔，称为引句中的甩腔。

谱例 5-33

$\overset{5}{6}$ 5 . $\underline{3}$（吉打 吉令仓）

　呀！

————选自《水珠记》

这里的"呀"字是具有具体音高的，并且还用了乐器伴奏。

（三）常见的甩腔形式

甩腔是从叫头进入前奏过门到引子或从前奏过门到引子，都紧接着节拍的非散唱的唱腔。甩腔可在叫头、引子中出现，同样也可以在唱腔曲牌的任何部位发生。按甩腔中出现的字数或衬字情况等可分为如下几种：

1. 带字甩腔

它是指带唱字的甩腔。这种情况的出现，往往是由于长乐句结构中的字数多之缘故。所以，在一般情况，这种带字甩腔，是指只带一个唱字的甩腔。如：

谱例 5-34

6 5 | 6 6 | 3 6 | 3 6 | 5．6 | 5 6 2 | 3（3 | 3 6 | 3 6 |（略）
鼓 洞　洞（呃）催 军（呃）鼓　响　　　（吉 打 吉 令 仓）

谱例 5-34 中的甩腔只占有一个字，并不附带任何衬字、衬词。

2. 衬字甩腔

它是指甩腔部位只带有衬字、衬词，而不依附唱词中的任何一个字。

谱例 5-35

3 | 6．7 | 6 3 5 3 | 3 5 | 6 7 | 3 3 | 5 3 5 | 5 3 5 7 |
打 开（的）云 雾　　（啊）来（亦）观（啊）看　（啊）　　（咦）

6（5 | 6 2 | 6 7 6 5 | 6 |
（吉 打 吉 令 仓）　　观

————选自《赐神剑》

谱例 5-35 中的甩腔是在衬字位置上进行,不带任何唱字。

3. 带字和衬字的甩腔

它是指带字并衬字、词的甩腔。即无论是带字甩腔开始后必接有带衬字的甩腔或衬词的甩腔,或带衬字、衬词的甩腔后紧接带有唱字、词的甩腔,是两种甩腔的结合。

谱例 5-36

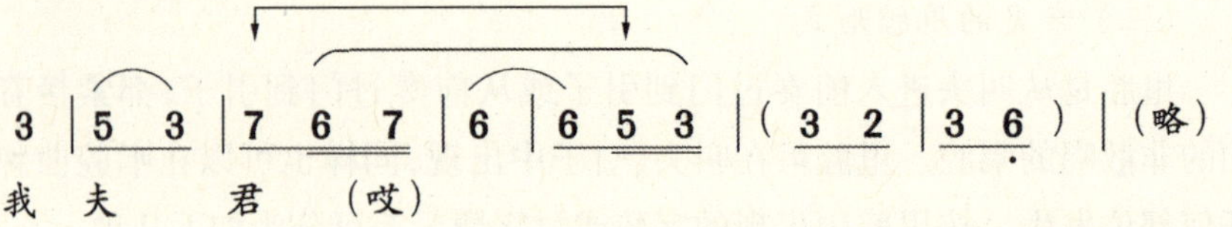

3 | 5 3 | 7 6 7 | 6 | 6 5 3 | (3 2 | 3 6) | (略)
我　夫　君　　　（哎）

——选自《合珠记》

谱例 5-36 是既带有唱字词又带有衬字词的甩腔,虽然例中只带一字和一个衬字。在松阳高腔的甩腔形式上,有带两个字以上的甩腔。例如,在《合珠记》唱段中的一句,就带有三个字"高郎夫"加衬字"哎"的甩腔。

唱词中两次出现"高郎夫哎",第一次在衬字"哎"上甩腔,第二次在"高郎夫哎"四个字上同时甩腔,在情绪上更进了一步。因第二次唱与第一次唱"高郎夫"有对比,人物内心感情在进一步转变、引申,推动剧情向前发展。两次唤"高郎夫"的两次甩腔,深刻表达了王金贞凄楚、哀怨、悔恨交加的内心冲突,塑造了人物形象。

4. 多字数甩腔

这里指凡是有两个字以上(包括紧接的衬字或穿插在唱字中的衬字)的甩腔。如《三状元》中的选段衬字和唱字一起就有 9 个。

谱例 5-37

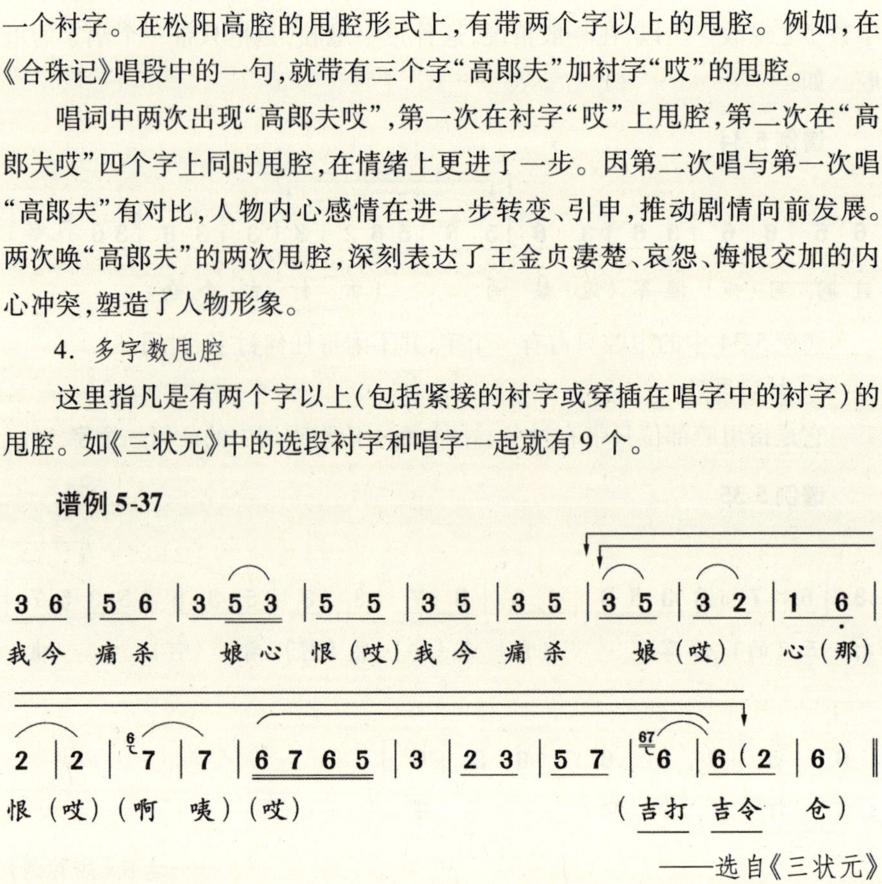

3 6 | 5 6 | 3 5 3 | 5 5 | 3 5 | 3 5 | 3 5 | 3 2 | 1 6 |
我今 痛杀　娘心 恨（哎）我今 痛杀　娘（哎）　心（那）

2 | 2 | 7 7 | 6 7 6 5 | 3 | 2 3 | 5 7 | 6 | 6 (2 | 6) ‖
恨（哎）（啊 咦）（哎）　　　　　　　（吉打 吉令　仓）

——选自《三状元》

(四) 散唱中的甩腔

当曲目演唱中出现自由散唱的乐句时，常会伴有散句甩腔的出现，此处甩腔呈现出与集体演唱者高出八度的演唱，形成类似于合唱双声部的效果。

这里指全段唱腔都是由散唱形式构成。在这种结构形式中出现的甩腔，与在引子中出现的甩腔相同，但处于曲牌中间的部位。如《合珠记》选段。

谱例 5-38

(哭板) 6 7 6 7 6 - - 6 5 3 6 7̄ 6̄ 6 5 6 3 6 5 3 2 - - - (打仓
　　　　忙 把 珍 珠 （哎） 来 敲（哎）　 破（衣）

打打仓) 3 3 6 5 3 2̄³ 2 - - 7 6 5 3 6̄⁷ 5 6 - - (打仓 打打 仓)
　　　 各 藏 半 颗 （啊）　 作 古 （哎）记 （也）

————选自《合珠记》

松阳高腔的甩腔形式丰富，在甩腔时，不受曲牌任何部位或曲式结构等的约束。甩腔无论在"引子"还是散唱等形式结构的唱腔中均可发生，还可以在"叫头"中发生。在曲式中，它常出现在上下句结构中的上句，但也可以出现在下句。并且，无论在起、承、转、合的曲式或其他结构形式的曲牌中都可以甩腔。甩腔在一般情况下，与帮腔是同时进行的。

(五) 非散句甩腔

主要出现在一板三眼的曲牌之中，是在有标记具体拍号的曲牌之中出现，这种甩腔是松阳高腔中常用的表现手法，有唱字、唱词的单字衬腔，也有多字的衬腔。如选自松阳高腔《踏八仙》中的一段，这种具备拍子时值的唱段中出现的各种为了表现激动、兴奋或惊喜等感情的一些字词的甩唱，便形成了松阳高腔中最常见的一种甩腔形式即非散句甩腔。

谱例 5-39

| 1̇ 5 | 6 5 | 1̇ 5 | 6̄5̄ | 1̇ 5̄6̄ | 1̇ 6 | 2̇ (5 6 | 2̇ 1̇ | 2̇) |
张 果 老（噢）高 技 巧， 蟠 桃　 会（哎）（吉 打　吉 令 仓）（略）

————选自《踏八仙》

松阳高腔这些具有明显特点的唱腔形式,演唱起来有非常大的难度。根据剧目中角色的不同,将特有的风味地道地表现出来,极为困难。如果没有亲临演出场所,是很难领略其艺术表现魅力的。

第六章 传承人与传承剧本

第一节 传承人

艺人层面——前辈老龄,后继乏人。艺人老龄化,年轻人不热衷,从艺者无法衔接,有失传的危险。现健在的老艺人,年龄最大者83岁,最小的近70岁,个别年轻的演员也都在40岁上下,能从事演出的也只剩十几个。大多数艺人如吴关群、吴发仲、吴永清,由于生活条件所限,虽都有带徒传授技艺的想法,但却无能为力。

从下表中,我们会发现松阳高腔各剧团中的艺人多是从小跟随长辈学习,从艺时间都在十年之上。现健在的除陈春林、吴陈基外,年均届八旬,明显反映出后续乏人的情况。

一、代表性传承人

姓名	生卒年	从艺简介
季起养	生年不详,卒于1871年	松阳高腔出色的表演艺人,自幼学习松阳高腔,不仅是出色的艺人,也是一代松阳高腔名师,教授了一批优秀艺人。
张光庆（又名增照）	1874—1905	松阳高腔名旦,由于技艺出众也被推举为松阳高腔剧团班主,并曾得到当时处州太师的赞赏,声望相当高。
徐鸿元（又名光桂）	1890—1958	松阳高腔名师,14岁随父跟班学旦角,常主演《金印记》《白兔记》《夫人戏》《合珠记》等,并于1957年作为松阳高腔的代表加入金华地区戏曲协会。

续表

姓名	生卒年	从艺简介
符坛德	1895—1961	民国年间最具特色的松阳高腔旦角之一,18岁跟班学艺,以演苦戏出名。
李高森	1899—1968	近代松阳高腔的著名丑角,12岁便随父跟班学艺,16岁登台表演,足迹遍布浙闽各地,于1949年创建松阳白沙岗高腔班,开始教授高腔。
李林焕	1909—1953	松阳高腔著名旦角艺人,9岁随父从艺学习花旦,15岁开始登台演出。
叶樟根	1892—1982	精通净、生、旦、丑、末各行当,9岁开始学艺,现今松阳高腔剧团传统剧目的表演技巧都曾得到他的指教和传授。
吴大水	1929—2010	长期担任松阳高腔周安剧团团长,从艺49年,主演生角,为该剧团导演了二十多本剧本,培养了一批中青年演员。2008年,被省文化厅授予省级传承人称号。
李宙献	1924—2010	曾为松阳高腔白沙岗剧团的主要负责人,擅演生和净的角色,在培养年轻力量方面做出重大贡献。2008年,被省文化厅授予省级传承人称号。
陈春林	1955年生	松阳高腔白沙岗剧团负责人,从艺20多年,主演净、丑、生的角色。2008年,被文化部授予国家级传承人称号。
吴陈基	1964—2009	松阳高腔周安剧团负责人,从艺近20年,擅演净角。2008年,被文化部授予国家级传承人称号。
吴陈俊	1933年生	曾长期担任松阳高腔周安剧团副团长,从艺40年,主演旦角,培养了一批年轻学员,其子吴永清、吴永明都是其弟子。
吴叶法	现年80岁	松阳县玉岩镇周安村人,主要演正生和大花脸。
吴利发	现年75岁	松阳县玉岩镇周安村人,主要演丑角。

第六章 传承人与传承剧本

吴大水

李宙宪（献）

吴水法

吴叶法

吴陈俊

吴陈基

吴昌武

吴昌旺(又名:吴发仲)

洪永娇

华金梅

金香娟

王建武与松阳高腔艺人吴陈基(中)、
洪永娇(右)合影

第六章 传承人与传承剧本

松阳高腔传承人(前排右起:吴大水,吴陈俊,吴叶法,吴水法;后排右起:华金梅,吴昌旺,洪永娇,吴陈基,金香娟,吴昌武)

采访现场(右起:乔建中,李伯能,叶美弟,王建武)

其中吴大水、吴关海、吴陈基、叶长喜、付永保等人已相继去世。尤其是吴大水,曾担任松阳高腔剧团团长二十余年,从艺四十多年,主演生角,为高腔剧团导演了二十多本大戏和折剧,培养了一批中青年演员。他是唯一既有初中文化,能吐(写)出剧本,又能导演的老艺人。他的去世,无疑是松阳高腔的重大损失。

二、承续者:刘建超

刘建超,男,汉族,1949年7月出生于浙江松阳县。毕业于林校、农大、中国音乐学院函授班、管理学院、人文函授大学等。从幼儿班15岁演出《老鹰抓鸭》开始至今从未间断舞台演出。第一个作品是在林校读书时(16岁)创作的现代小戏歌剧《朝迎彩霞》(作曲、导演、主角),参加上级的文艺调演并获奖。曾在专业剧团、文化馆担任演员、乐师、业务副馆长、主任等职。从事文艺工作四十多年来,著有《松阳高腔》《献给祖国的歌》《刘建超文艺作品选》等三本书,主编《松阳高腔音乐与研究》等五本书。有音乐作品100多件,戏曲作品26件,舞蹈作品5个,曲艺作品44个,摄影作品100多幅,文学作品80多篇。参加《中国民族民间器乐曲集成·浙江卷》《中国戏曲志·浙

右起:李东全,李宙宪,刘建超,陈春林,李宙法

江春》《曲艺音乐集成》《舞蹈集成》的条目编纂,是《器乐曲》《戏曲志》《曲艺音乐集成》市地卷的编委、责任编辑和县卷的主编(在文化馆完成《器乐集成》《曲艺音乐集成》主编制作,担任《戏曲志》县卷主编,后工作调动交由他人担任)等。

现为中国音乐家、戏剧家协会会员,浙江省音乐家、戏剧家、曲艺家、民间文艺家协会会员,浙江省职工文化研究会理事,松阳县文联——至现届委员,松阳高腔研究会——至现届主席(27年),松阳县茶文化研究会成员。曾任松阳县政协四至六届委员。北京(国际)文化艺术研究院特邀研究员,浙江师范大学音乐研究中心兼职研究员。

右起:叶美弟,李伯能,刘建超,乔建中,陈春林,王建武

刘建超将大部分精力投入到民族音乐包括戏曲、曲艺、舞蹈音乐等的学习、创作和研究之中。特别是对松阳高腔的收集、整理、探索、研究历经三十多个春秋,默默耕耘,为之保护、传承、发展做了大量的工作。

(一)松阳高腔保护传承,坚定不移

刘建超对松阳高腔剧种的保护传承发展倾注了满腔热忱,以下作概要阐述。

1978年,当他获知浙江婺剧团要排练松阳高腔《磨豆腐》(小型古装戏)时,就想方设法获得资料,前去观看排练与演出。从此,他就默默地喜欢上了自己家乡的戏曲。是年,他参加了松阳玉岩松阳高腔剧团重建后艺人在文化馆的几次访谈之后,在遂昌大拓、石练等地演出,他都参加调查了解并观看演出。1981年初他从专业剧团调至文化馆,与时任馆长华俊一起工作,开始了对松阳高腔的探索与研究等工作。是年底,华俊认为松阳高腔源于清代,而刘建超当时认为松阳高腔源于明末清初。他们之间各自保持自己的学术观点,彼此相互信任。该年,两人在古市镇、斋坛乡观看松阳高腔剧团的演出。

1982年1月,松阳县制恢复后,刘建超调往松阳县文化馆。分手前,华俊对刘建超说:"有关松阳高腔的担子就委落在你(指刘)的肩上了……"是年,刘建超召集松阳高腔老艺人开座谈会,并将保护松阳高腔的工作首次提给县委、县政府和文化主管部门。同年,刘建超领队(并导演)的文艺演出队到全县各乡镇慰问演出,其中的一个节目就有松阳高腔小戏《八百两》。

1983年,邀请松阳高腔剧团在县城剧院演出《夫人传》等剧目。举办松阳高腔座谈会,邀请县领导和相关代表参加,刘建超在会上再次提出对松阳高腔保护、传承工作的重要性。从6月份开始,他深入到两副松阳高腔的原生地进行长达近一个月的调查、资料收集工作,对松阳高腔的历史渊源、音乐、剧目、表演、服饰、艺人、班社、演出习俗、行话、谚语、轶闻等进行系统性的采风活动。老艺人都说:"小刘(指刘建超)同志把松阳高腔精的、粗的、所有的根和全部'家当'都挖尽了。"(这些录音材料刘建超调离文化馆时交给文化馆保存)。是年,他在玉岩、交塘等地观看了松阳高腔的演出,并从县里争取资金资助松阳高腔剧团各一千元。

1984年年初,县成立《戏曲志》编委会,刘建超任主编。为此,从1984—1986年他跑遍了全县各乡镇,凡是历史上有松阳高腔艺人或班社剧团的38个村他都进行采风调查,有的村一去就要住上几天几夜。三年来,他在枫坪几个乡观看了松阳高腔剧团演出并进行采风调查。1985年,松阳县首届文学艺术界联合会成立,松阳高腔研究会也同时成立。他被推选为松阳高腔研究会理事长(原称谓,现称主席),担任松阳高腔研究会主席至今。同年,在县城两次召集艺人进行座谈。在艺人们提出请刘建超给他们排戏,增强艺人表演能力时,刘建超鼓励他们"保持原貌,家族传承,坚持演出,长远地延续下去"。是年,他多次向县、文化教育局领导要求给予松阳高腔资助,结果,各剧团均获多次资金补助。该年在赤寿乡、岗寿乡(现并入古市镇)等地访问艺人并观看松阳高腔演出。1986 年 5 月,刘建超参加了《浙江省戏曲声腔衍变规律学术研讨会》,以论文《从民歌到戏曲音乐》参与并刊于省艺术研究所主办的《艺术研究》。是年,在斋坦乡、谢村乡、安民乡等地观看了松阳高腔的演出,对艺人们进行了采风活动。

从 1978 年开始至 1987 年,经刘建超的收集、整理和研究,于 1986 年和 1987 年分别由县文化局、松阳高腔研究会出版(内部版)了《松阳高腔》《松阳高腔音乐浅析》两部专著。从 1987 年开始,他探索研究的视野从松阳高腔拓展至全国的高腔声腔剧种以及其他各有关的声腔剧种,以致后来延伸到全国大多数声腔剧种。通过翻阅大量的历史资料、史籍、家族谱,到本省或外省进行采风、调查,从省市级图书馆到大学图书馆,并经常访问一些著名的专家教授,进行学习、探索和交流研究活动,让他进一步认识到松阳高腔的历史地位与价值,从而增加了他对两副家族传承的松阳高腔剧进行保护的意志。在每年松阳高腔研究会的有关交流活动中,他总是鼓励艺人们将这一剧种传承下去,鼓励演出,鼓励带学员。他希望这"原汁原味"的两副家族传承的松阳高腔剧团永久性保持下去。在每次县文联的委员会上或文化局有关会议上,他都把观点摆得很清楚,即对两副家族传承的剧团所有的艺术形式一点不能变,要创新(有人要求)只能在以后新编的剧本上进行。

1987 至 1990 年,由刘建超(已调至总工会文化宫工作)支持创办(招学员并讲课或导演)的松阳县西屏镇剧团和松阳县古市镇婺剧团由于经费不足相继解散。刘建超找到县文化局、文化馆领导,强调指出:"松阳高腔剧团再不能解散了,要想方设法让它们坚持每年演下去,尽量给予方便,给予经费或物资等的支持,这是我县的文化瑰宝啊……"1991 年,刘建超编剧、作曲、导演的第一个现代小戏《送粮》参加丽水地区文艺汇演,省艺术研究所专家要求该剧专程到省演出,由于演出人员大多是粮食部门的人,适逢收粮季节,故没有成行。

从 1993 年到退休前,刘建超担任四、五、六届政协委员,每年的提案和大会发言,几乎都有松阳高腔的内容,提要都是保护、传承、资助、协助等最关键的工作。在 1997 年的一次文化新闻讨论会上,他提出"两条腿走路"的方法,即两副家族传承的剧团坚持"原始不变"之路,新编的剧目走"创新"之路。这期间,他要求两副松阳高腔剧团凡是演出,都要告知于他,只要有时间,他都会去看望艺人,观看演出并进一步采风了解情况。1994年、1997年他的论文《戏曲与民俗风情史》《戏曲声腔漫话》参加全国有关的学术研讨会并获奖(作品含松阳高腔)。

1998年,他积极组织协助松阳高腔剧团(并任乐师)参加由省文化厅、钱江晚报、浙江电视台主办的"浙江省少数剧种交流演出"。是年,松阳县政协出版了由他收集整理的《松阳高腔曲专辑》。1999年至2000年,他到新处乡、谢村乡、王岩镇等地观看松阳高腔剧团演出。

2002年至2003年,刘建超被西泠印社等出版社聘请为编辑。两年期间,他走遍了大半个中国,利用一切时间,到有关文化单位、剧团、研究单位、院校及图书馆进行考察,进一步丰富了知识,拓宽了视野,对松阳高腔的地位与作用的认识更清晰了,与专家学者们形成的共识,让他更坚定了自己所持的对艺术的科学论断及对学术的研究道路。他清楚地知道松阳高腔是早于明代的产物,保护松阳高腔是责无旁贷的职责。之后,他几乎每年都要数次陪同外来的调研学者、领导到松阳高腔演出地观摩。从1982年至今,已接待200多人次。2001年、2005年、2006年,松阳高腔被省档案局、省政府、国务院公布为首批文献资料重点单位和首批非物质文化遗产代表作。刘建超的工作更忙了,他奔走呼吁,终于为松阳高腔剧团争取到了资金、物质等方面的支持,从而铺平了保护、传承、发展的道路。

2008年县文联出版了他主编的《松阳高腔音乐与研究》一书。2009年,省文化厅出版了他编著的《松阳高腔》一书。从收集、整理到探索、研究松阳高腔(包括到外省的费用),他共支出近6万元的经费。用他自己的话说:"如果不花在这方面,房子都盖起来了。"而现在的他还是住在60多平方米的房子里,一点也没有装潢过。而且,每一位艺人过世,他都得掏腰包,予以慰问……

(二) 松阳高腔"创新"之路,谨慎而行

纵观多年来松阳高腔的演出,观众在减少,市场在萎缩,两副家族传承的剧团从每年一百多场减至每年共演几十场。在党委、政府如此重视的情况下,问题出在哪里?古老的艺术品固然是民族艺术的瑰宝,但它僵化的艺术程式成为当代人们欣赏的桎梏。当代观众尤其是年轻观众普通反映"唱不好听,演又过于程式化",只有从艺术突破中获取弹性,才能获得当代观众对这一艺术新的感觉和审美心态。

在基本完成保护原始型松阳高腔艺术形态的情况下,走创新型艺术形态的路应该迈步了。刘建超本着对松阳高腔认真负责、严谨科学的态度,开始要求松阳高腔创新、发展、进步,改变"唱不好听,演又过于程式化"的艺术僵局。

从刘建超编剧、作曲、导演的两个正本大戏来看,新编松阳高腔历史古装戏《张玉娘》,反映的是宋代我国女词人张玉娘对爱情的忠贞和强烈的爱国主义情操,新编松阳高腔历史神话剧《叶天师传》反映的是唐代我国著名的道教法师叶法善毕生从事道教事业与宫廷音乐的业绩。两个剧目均按戏曲舞台艺术的基本要求与表现形式,从编制、作曲、导演到突出主题描写人物等各方面,获得党政和文化主管部门领导及广大群众的认可与赞赏。在塑造叶法善时,采取了时空跨越的手法,巧妙地完成从青髫到白发的形象转变。张玉娘、叶法善均是松阳人氏,将名人文化与国家非物质遗产代表作和谐地结合在一起,其意义是不言而喻的。两个剧目均为八折戏,演出均要两个小时以上。剧本中两个主人翁的一生都要在剧情中完成。刘建超之所以能在四年的时间里完成两部大作,刻苦勤奋和对艺术的酷爱是一方面,主要的是他对松阳高腔及其戏曲艺术所持有的包容和长期探索的精神。

剧本完成后,戏剧人物的服饰、道具等都要依照宋代、唐代的风格。在编剧、作曲、导演的全过程中,刘建超很注重作曲。从两个剧本的音乐表现上,他紧紧抓住了松阳高腔的风格特色,如唱腔中的帮腔、甩腔、衬腔,所有的文武场曲牌,贯穿全剧。让人们一听就是高腔,就是松阳高腔。在音乐创作中,按松阳高腔属于曲牌体的形式,仅仅是在曲牌的某些音符上作了少数的改变,使曲牌演唱起来比较顺畅,无须演员喊破嗓门。他剔掉一些难唱、"不好听"的曲牌,选择了艺人们及观众反映"好听"的曲牌音乐,有的唱段依照曲牌音乐的特点,对照人物巧妙地将两个或多个曲牌音乐"嫁接"在一起。故而在演出的反馈信息中,无论是观众还是松阳高腔家族传承的艺人们都说:"是松阳高腔,怎么好听得多了,好看得多了!"

第二节　传承剧本

一、剧目

剧目及戏曲曲谱都是由艺人们手抄才得以传承至今,但也因时代的久远以及朝代革新的缘故,许多都已销毁或遗失,幸存的只有 40 个剧目。故事多数反映普通家庭的生活,也有一部分是传统的故事和内容。已知的松阳高腔的传统剧目有 37 个之多,小戏和折子戏多达 79 个。

松阳高腔剧目《合珍珠》

剧名名称	剧目内容梗概
《夫人戏》	陈贞姑学法,并在各地除妖灭怪,普救黎民
《琵琶记》	发生于蔡伯喈与赵五娘之间的故事
《耕历山》	虞舜在历山开荒造田,造福百姓
《白兔记》	刘知远与李三娘的家庭故事
《九龙套》	包括"祁老搬兵"等剧
《合珠记》	高文举与王金贞的故事
《黄金印》	苏秦的故事
《八仙桥》	彭祖求寿的故事
《三状元》	公孙胜、公孙朝、公孙麒麟的传说故事
《火珠记》	孙悟空收服鸡妖的故事
《造府门》	李开中认宝的故事
《绣花针》	柳孝文的家庭故事
《鹿台》	周王的故事

续表

剧名名称	剧目内容梗概
《全家孝》	纯粹讲家庭故事
《三世因果》	三代姻缘的故事
《判乌盆》	包公审理乌盆的故事
《黑蛇记》	继母不贤惠的故事
《摇钱树》	四姐下凡的故事
《九世同居》	张公艺的故事
《贺太平》	即"太平春",歌颂太平盛世
《聚宝盆》	范丹、石胜的故事
《卖水记》	李彦贵和王桂英的故事
《白蛇记》	汉卿见母、拿夫造城的故事
《白鹦哥》	金殿下棋的故事
《葵花记》	高彦成、孟石城的故事
《鲤鱼记》	鲤鱼精的故事
《拾义记》	关忠相会的故事
《送米记》	安安送米的故事
《采桑记》	老包水牢的故事
《三元坊》	断机教子的故事
《一文钱》	小骗富荣的故事
《脱靴记》	班超脱靴的故事
《忠义堂》	文显招军的故事
《三代相》	唐望花灯的故事
《芦花记》	闵子骞的故事
《王小二过年》	王小二的故事
《五台会兄》	杨五郎在五台山会兄弟的故事
《街坊卖纱》	卖棉纱的故事
《奔走樊阳》	三国时代张飞奔走樊阳的故事
《三闯辕门》	刘备、关羽、张飞闯辕门的故事

所有剧目都是在本子上白手誊抄,继而代代相传。得到松阳高腔的具体资料,得益于几位代表传承人的帮助。虽然剧目尚都存在,但能够真正完成表演的却是花甲之年的老艺人了。中青年一代里虽有能担重任的人(如吴陈俊之子吴永清、吴永明等人),但也因家庭原因无法全心投入到松阳高腔艺术精益求精抑或传承传授工作中去。

二、剧本

剧本主要由台词和舞台指示组成。对话、独白、旁白都采用代言体,在戏曲、歌剧中则常用唱词来表现。剧本中的舞台指示是以剧作者的口气来写的叙述性的文字说明。包括对剧情发生的时间、地点的交代,对剧中人物的形象特征、形体动作及内心活动的描述,对场景、气氛的说明,以及对布景、灯光、

松阳高腔剧本

音响效果等方面的要求。在戏剧发展史上,剧本的出现,大致在戏剧正式形成并成熟之际。古希腊悲剧从原始的酒神祭礼发展为一种完整的表演艺术,就是以一批悲剧剧本的出现为根本标志的;中国的宋元戏文和杂剧剧本,是中国戏剧成熟的最确实的证据;印度和日本古典戏剧的成熟,也是以一批传世的剧本来标明的[1]。但是,也有一些比较成熟的戏剧形态是没有剧本的,例如古代希腊、罗马的某些滑稽剧,意大利的初期即兴喜剧,日本歌舞伎中的一些口头剧目,中国唐代的歌舞小戏和滑稽短剧,以及现代的哑剧,等等。剧本的写作,最重要的是能够被搬上舞台,戏剧文本不算是艺术的完成,只能说完成了一半,直到舞台演出之后(即"演出文本")才是最终艺术的呈现。历代文人中,也有人创作过不适合舞台演出,甚至根本不能演出的剧本。这类戏剧文本则称为案头戏(也叫书斋剧)。比较著名的如王尔德

---

[1] 陈善贤.探讨演员与剧本的关系[J].中国科技纵横,2010(02)。

的《莎乐美》等。而好的剧本,能够具备既适合阅读也可能创造杰出舞台表演的双重价值。一部可以在舞台上演出的剧本原著,由于舞台不同、表演者不同,还需要做适度的修改,以符合实际的需要。因此,舞台工作者会修改出一份不同于原著,有着详细注记、标出在剧本中某个段落应该如何演出的工作用的剧本,这样的剧本叫作"提词簿"或"演出本"、"台本"。

此外,剧本是完整的演出脚本,而另外一种简单的舞台演出脚本只有简单的剧情大纲,实际的对白与演出,多靠演员在场上临场发挥,而这一种脚本则称为"幕表"。

三、剧本例举

(一)《耕历山》

华:一出娘怀不见好,一生算来我命苦,后娶继母生兄弟,父亲养育劳心多,小生家住罗国,罗国人氏,姓姚名仲华。爹爹姚果秀。生母蔡氏月英,在生我下来胎血未干,一命归阴。后娶继母宁氏,生下兄弟取名上敖。此话不必细表,今乃是爹娘寿诞之日,安排酒宴与爹娘上寿。家院。

院:有。

华:命你安排酒筵可以齐备了吗?

院:酒筵早已齐备了。

华:好啊,待我请出爹娘。爹娘有请,兄弟快来。

爹娘:来了,华堂寿宴开,蟠桃请寿栽。南山松柏老,福禄寿三台。

华:拜见爹娘。

爹娘:罢了。儿啊,堂前无客,炉内焚香,请出爹娘出来何事?

华:非为别事,今乃是爹娘寿诞之日,孩儿安排酒筵与爹娘上寿。

爹娘:我儿行礼,可有外客没有?

华:并无外客,孩儿拜盏。

爹娘:不用拜盏,一律拜上。

华:恕孩儿不会敬衣。

爹:才好说话,将酒摆开。

众:酒好,收下酒筵。

母:(坐下堂)哋,员外,人人言道,你看的算命来的灵验,自己一家人的相貌也要看看来……

王建武在阅读松阳高腔手抄剧本《白兔记》

(二)《合珠记》

生：(唱喉)：北走东来蒙走西,北蒙思量愁短长。半斤炒米无钱买,满腹文章怎充(原"冲")饥。少生家住洛阳桃花汉口城市,姓名叫做(原"作")高文举。自从爹娘双双亡故,上有欠了官银三百余两下又爹娘亡故未曾安土。自从听见王八万十字街头制贫,小生去到十字街头走一程。心中有意乃哪怕路不平,去到十字街头一走。(下台)

旦：(唱引)：奴奴独坐绣房内,心中多愁闲。

白：奴家黄氏正真,爹爹王八万,母亲李氏。自从爹娘单生奴家一人,我爹娘有男靠男无男靠女。今日爹娘寿堂之日还要摆起酒宴,请爹娘出来祝寿,丫鬟(原"环"),我爹娘寿堂之日酒宴可有。

丫鬟：早已准(原"起")备。

旦：好哇,等我请出爹娘。爹娘有请。

外：(唱喉)：忽听少女请令堂看分明。

(唱)：少女请为爹娘出来则甚？

旦：非为别乃,爹娘寿堂之日安排酒宴,为爹娘上寿。

外：少女你果然行孝,有外客没有。

旦：并无外客，女儿摆盏。

外：不用。

旦：不会执意把酒摆开。

外：嗯恩，叫（原"叫"）少女退下，嗯恩，人老汉去到十家街头制贫，若还有落薄秀士，若还少女年庚八字相同，带一个回来作（原"做"）为女婿。若还少女年庚八字不相同，酒饭一顿打发他回去。

夫：人有善源。

外：天必从知，好，恩人请回，家员求制一张去到十字街头一走。家员求制四门张挂。

生：（唱喉）：离了家乡也来此十字街啊呀，你这（原"着"）王八万太老爷求制四门张挂起来了，不免自己进去。报小生进，太老爷在上。

小生：大礼相参。

外：书生一到那有参称之理。

生：此去百拜。

外：好。书生边旁坐下。

生：谢员外的座位。

外：敢问书生你家住哪里，高姓尊名，你如何一身落魄（原"薄"）。

……

第七章 乐队伴奏与舞台化妆

第一节 乐队伴奏

一、乐队构成

乐队由鼓堂(指挥、执鼓与板鼓者)、正吹(吹笛、唢呐、先锋者)、散手(大锣、大钹兼二胡者)、副吹(唢呐兼板胡者)、小锣(敲小锣兼帮唱者)五人组成,乐队组织形式沿袭祖辈传统形式。乐队座位图如下:

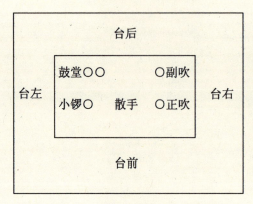

传统分布图

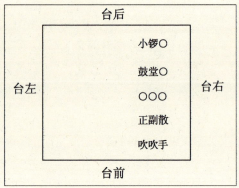

现今分布图

有松阳县周安村松阳高腔艺人吴光远珍藏的祖传一副檀板,吴光远艺人述"周安吴化家族自清中叶开始演高腔,此檀板从祖辈传承下来使用至今"。上板正面书有"乾隆庚午年恩贡甲午年,钦选金华府武义县教谕",背面书有"吴文石办吴国玫府君"。据周安村吴氏宗谱记载:"吴国玫,字文石,号逸山,康熙辛巳年生,康熙己末年入潘,终乾隆辛丑年。雍正己酉补禀,乾隆庚午恩贡,甲午钦选金华府武义县教谕。"吴国玫于乾隆三十二年(1767)曾担任松阳县志分修,留下了许多诗词文章。

松阳高腔乐队伴奏图

松阳高腔主要伴奏乐器:

(1)檀板:用紫檀木精制而成,三板用黄绫条串连。板长26.8厘米,上板宽5.2厘米,厚0.6厘米;中板宽4.8厘米,厚1.2厘米;下板宽5.7厘米,厚0.8厘米。

(2)唢呐:是中国民族吹管乐器的一种,常用于民族乐队合奏或戏曲、歌舞伴奏。木制的锥形管上开八孔,管的上端装有细铜管,铜管上端套有双簧的苇哨,木管上端有一铜质的碗状扩音器。

(3)大锣:铜制,直径约30厘米,扁平圆体,有边,边孔较小,系以绳。演奏时,左手提锣,右手持木槌击奏。

唢呐

大锣

（4）小锣：铜制，圆形，直径约22厘米，中心部稍凸起，不系绳。演奏时用左手指支定锣内缘，右手持一薄木片敲击发声。

（5）板胡：是戏曲、说唱的主要伴奏乐器。琴筒呈圆筒形，一头大一头小；琴杆为圆柱形，上端是琴头，呈方形，开有弦轴孔；弓子用粗细均匀、富有弹性的江苇或其他竹子做成，比二胡弓子长而粗，上面装的马尾以白马尾为好，出音柔润。琴弦用丝弦或钢丝弦发音，泛音清晰。

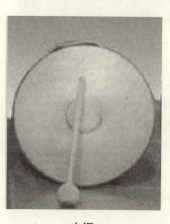
小锣

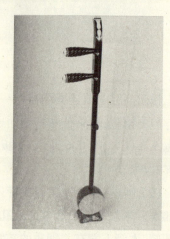
板胡

（6）大钹：又名大镲，铜制，圆形（中间突起）。两面为一副，每面直径约一尺。多用于合奏和戏剧、歌舞的伴奏。

（7）板鼓：又名单皮、班鼓。鼓皮用牛皮制成，鼓身直径25厘米，中间振动发音的鼓面仅有 5～10 厘米,鼓腔呈八字形,鼓边高 9.5 厘米。

大钹　　　　　　　　　　板鼓

（8）二胡:又名"胡琴",由琴筒、琴杆、琴皮、弦轴、琴弦、弓杆、千斤、琴码和弓毛九个主要部分组成。它是我国民族乐器家族中主要的弓弦乐器之一,可用于独奏,也可用于合奏、伴奏。

（9）笛子:又称竹笛,是中国传统音乐中常用的横吹木管乐器之一。常在中国民间音乐、戏曲以及中国民族乐团、西洋交响乐团和现代音乐中运用,是中国音乐的代表乐器之一。

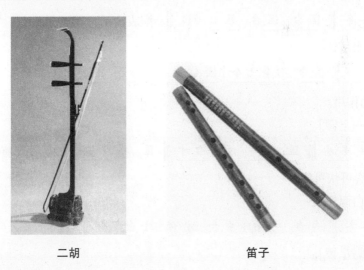

二胡　　　　　　　　　　笛子

二、锣鼓经

松阳高腔的锣鼓经大部分源于民间锣鼓经,如[白面锣]、[水星锣]、

[一字锣]、[满天星锣]、[接板锣]、[双绞丝]、[财神锣]、[平锣]、[魁星锣]等。各锣鼓经特点如下：

[满天星锣]：

冬冬 ‖ 匡台 ‖ 冬匡。速度较快，作武打表演和行走动作用。

[长锣]：

冬冬 ‖ 令匡 ‖ 冬匡。节奏缓慢，作行走动作用。

[双绞丝]：

大大 大大 乙大 乙大 乙大 ‖ 匡令才 令才 令才令才 ‖ 匡。做身段动作，武打表演场合用，具有跳跃特点。

[接板锣]：

大令 匡 ‖ 大令 匡才 匡才 匡 ‖ 大匡。武打场面和将帅上场时用。

[财神锣]：

冬冬 ‖ 冬冬 七冬 七冬 七冬 匡 ‖。表演动作和武打场面用。

[平锣]：

冬冬 ‖ 匡台 匡台 匡台 台 ‖。配表演动作用。

[水星锣]：

冬冬 ‖ 匡令 七令七令 | 匡令 七令七令 ‖ 匡令七 | 匡令七 ‖ 匡。表演动作用。

[一字锣]：

冬 冬冬 ‖ 匡 台才 匡 台才 ‖ 匡。换场、剧终和身段表演等场合用，节奏可快可慢。

[白面锣]：

冬冬 ‖ 台台 才台 才台 才台 才台 匡 ‖。行走动作及武打用。

[魁星锣]：

冬冬 ‖ 令七 令七 令七令七 ‖。行走、身段表演动作和武打场合用。

其他锣鼓经[水底鱼]、[苏帽头]、[板锣]等在演唱或表演时用。各锣鼓经由鼓堂出点转换连接。

三、代表乐师

松阳高腔历史古装剧《张玉娘》演出剧照

著名乐师有吴必森（正吹）、符庆鹰（鼓堂，正吹）、符庆鹰徒弟叶长喜（正吹）、符永保（副吹）、毛福庆（鼓堂、正吹、副吹）、毛世宫（副吹）、叶根发（正吹）、李和根（正吹）。1949年，李林焕、李高森在白沙岗村参加松阳高腔"新庆高腔班"。1950年，徐鸿元、符坛德、叶樟根等在周安村教戏。1978年，周安村吴大水、吴陈俊等发起并重建"玉岩松阳高腔剧团"，1980年，被县文化局命名为"玉岩松阳高腔剧团"。1980年，白沙岗村李宙宪（献）等重建新岗（白沙岗村村名易名）松阳高腔剧团。2006年，周安与新岗（白沙岗）合办松阳高腔剧团，到全省各地演出传统剧目100余场。2007年，周安与新岗（白沙岗）两地分手，各操原"周安松阳高腔剧团"、"白沙岗松阳高腔剧团"。2003年，县城西屏镇创办"松阳高腔西屏镇戏曲学唱队"，2009年易名为"松阳高腔西屏镇戏曲学唱团"。2010年改名为"松阳高腔西屏镇戏曲演出团"，主演松阳高腔，兼演婺剧、越剧。由刘建超编剧、作曲、导演的新编松阳高腔历史古装剧《张玉娘》和新编松阳高腔历史神话剧《叶天师传》分别于2009年国庆节、2010年在"中国武义·叶法善国际学术研讨会"期间上演。

第二节　舞台化妆

一、角色行当

松阳高腔的表演形式和角色扮演都有着特有的风格,据艺人所述,松阳高腔早期角色较少,于元末明初之时有生、旦、净、丑、外、贴、末七种,到了清之后,方又由生、旦、末之中派生出了小生、老旦、小角三种新角色,其中的正生和正旦都是戏曲表演中的主要角色。由此可以将松阳高腔中的十个行当角色划分为三个档次,一档角色为正生、正旦、净和丑,第二档角色是小生、贴、外、夫(即老旦),第三档角色是小角和末。对于每个角色的化妆,在松阳高腔之中也是一直沿袭旧制,比较简单明了。对于生、旦、贴、末等都没有严格的化妆讲究,只有对净和丑的化妆讲究稍多一些,尤其对丑角的脸谱色彩的变化特别强调形状和颜色的区分,脸谱形状主要有三角形、胡尸型、蝴蝶

松阳高腔剧目《合珠记》演员合影

松阳高腔传统剧目《合珠记》演出剧照

型和方形,而颜色主要有白、花、红、绿之分,而对于奸臣扮演者的脸谱有更多选择,有金色、银色、绿色、黑色、白色、黄色和红色等多种色彩。

另外,对于胡须的佩戴也是需要技巧的,化妆所用胡须主要有鼻须、满髯、短胡和长髯等,其中的长髯有五柳和三柳之分,装备上胡须上场的演员也需要掌握一定的"髯口功夫",主要有理、弹、思、吹、摇等。松阳高腔艺人在表演服装方面非常质朴,早期多是仿制宋元时期的民间服饰,除对于神仙、帝王和百官的服饰有一定讲究,要求做工比较细腻、色彩鲜明之外,其他角色演员的服饰较简单,色彩也多以蓝色、灰色或黑色等暗色调为主。

二、道具布景

最能体现松阳高腔与其他浙江戏曲表演差别的便是形式多样、造型别致的各种表演面具。根据艺人们的口述,所有面具都是祖祖辈辈代代相传的表演技巧,面具的使用一般都是在神仙剧中,主要分为全面具、半面具和半段面具三种:全面具是可以将人脸完全盖住的面具,比如老虎面具、牛头面具、猴面具、马面具或者是弥勒佛的面具等;半面具便是只能遮盖住演员半张脸的面具,主要用于铁拐李、雷公、财神等角色,以及猪、狗、兔、鼠和鸡等角色;而半段面具则是指露出嘴巴,盖住嘴以上部位的面具,半段面用于土地公、狐狸精、蛇妖头、鸡妖和龙等角色。

除了独具风格的面具之外，在舞台上还会出现为皇帝、神将出巡时使用

松阳高腔——舞台布景

松阳高腔传统剧目《合珠记》演出剧照

第八章 其他高腔剧种

第一节 西安高腔

一、历史源流

衢州的西安高腔是中国现存的保留原始风貌较多的古南戏遗存之一，它因古衢州府县为西安县而得名。西安高腔最迟于明代嘉靖年间（1522—1566）形成，俗称弋阳腔，以衢州为中心，流传于浙江温州、金华，江西东南部和福建西北部等地。西安高腔的发展历程复杂曲折，大致可以分为三个阶段：

一是萌芽发展期。南宋时期，衢州商业税收规模位居全国第三，大量北方人口南迁定居衢州，一时间衢州经济繁荣，人口剧增，人文荟萃，戏曲盛行，为西安高腔的形成奠定了基础。明初，江西弋阳腔和本省海盐腔流入衢州，受此二者影响形成了西安高腔。考察西安高腔现存的传统剧目，绝大部分是明代嘉靖年间或其以前流行的古南戏，其真正形成于何时已不可考，但不应晚于明代嘉靖年间。二是繁荣鼎盛期。明末清初，西安高腔进入繁荣期，清道光间达到了顶峰，有20多个西安高腔戏班。三是衰落保护期。"清道光年间，昆腔和乱弹在衢州兴起，西安高腔受到了极大的冲击，日趋衰落，不得不与昆腔和乱弹合班演（三合班）。道光后，衢州三合班有10多个，太平天国时期减为六七个，光绪年间减为4个，至民国成立时仅剩下3个。1940年，日寇入侵衢州，最后一个西安高腔专业戏班偃旗的"黄红罗伞",为双方交战表示仪仗队的武旗,官员上场时用的朝笏,将领传令时常用的令旗和方旗,表示处斩犯人前捆绑其背上的斩牌,用于向菩萨问话与发出谕旨的交杯,以及圣旨、官印、手铐、脚拷、捉拿牌、烛台、香炉、龙角、竹节马鞭、雷公锤、笔架和桌围等表演道具。舞台的布景基本固定,道具的摆放却可以表示场景的转移与变化:例如在桌上摆放剑、令旗和椅子来表示指挥发令的帅帐;只要把帅帐中的剑、令旗和椅子拿掉便是表示场景转移到佛堂;洞房的场景则只需将红帐布放下即可;若是要表示水井或井台的话,则只需将椅子侧边放倒即可。

息鼓。"[1]从此,西安高腔(三合班)专业班社就没有了,但民间仍有人为红白喜事演唱高腔。

新中国成立后,政府请西安高腔有代表性的老艺人江和义进行了口述演唱,以笔录和录音的方法,保留了一批宝贵资料,收集到西安高腔曲牌音乐近百首,西安高腔的18本传统剧目也基本保存下来。近年来,衢州市委、市政府十分重视和关注西安高腔的保护工作,西安高腔开始重新演出。从声腔上说,西安高腔是从江西弋阳腔演变而来的。声腔高亢、刚劲,朴素有余、细腻不足的江西弋阳腔在流入衢州后,与当地民俗风情、民间音乐及流入衢州的海盐腔融为一体,形成了衢州西安高腔。西安高腔腔调略低于弋阳腔,较为古朴细腻,但老艺人在世时仍称其为"弋阳腔",仍保持着"字多音少一泄而尽"、"其节以鼓,其声喧"的特征。从剧目上说,西安高腔有10多个剧目来自南戏古本,因此,西安高腔是南戏的"活化石"。西安高腔的音乐属曲牌联缀体。可一曲多用,亦可几曲联用,也用集曲犯调。曲调起伏较大,音域较宽,旋律流畅,宛转优美,富有表现力。音乐中常采用调式交替和音阶模进,明显地出现移宫换调,给人以清新、绚丽的感觉。由于受昆腔影响,增加了丝弦伴奏,但仍保存了"其节以鼓,其声喧"的特征,保留了滚唱特色,演唱处几乎是一字一音,节拍紧凑,几经演唱后,必有甩腔,充分表达了

西安高腔《红梅记》演出剧照

---

[1] 魏敏.浙江衢州西安高腔研究[J].丽水学院学报,2009(03).

演唱的感情与意境。

西安高腔中的帮腔是高腔特有的艺术表现形式。帮腔一般帮后半句或一句的最后二三个字。帮腔悠扬、洪亮，对烘托情绪、渲染气氛有独到之处。20世纪30年代以前，西安高腔班的角色都由男演员扮演，分为生、旦、净、末、丑。西安高腔班长期活跃在农村，演出于露天草台、祠堂、庙宇，演出舞台设置就一桌两椅，没有其他装置。后来受其他剧种的影响，也开始使用画布布景，戏服大红大绿，色彩鲜明，有浓郁的乡土气息。看戏的观众也主要是农民和手工业者，他们爱看一些大戏、武戏和做工戏，因此高腔表演讲求夸张、粗犷、有气势，形成了"大花过头、老生平耳、小生平肩、花旦平乳、小丑平脐"等表演风格，古老浑朴，粗犷豪放，雅俗共赏。

二、音乐特征

（一）帮腔代言

高腔的特点在于"众人帮腔"的"帮"，帮腔的存在在一定程度上弥补了高腔"不托管弦"的缺隙，即使到了后来，为丰富唱腔，西安高腔开始借用昆曲、乱弹某些因素，引入笛子、板胡等管弦乐器，但"帮、打、唱"形式还是被继承下来了。帮腔不仅有烘托气氛的作用，而且增强了音乐色彩与层次的对比感。帮腔的角色先前一般由乐队人员来承担，为了分清权责，候场演员逐渐进入到帮腔的行列，帮唱角色一般位于舞台的侧面。20世纪50年代开始，许多剧团已经培养了一批专职的帮腔人员。从字数的规定性上看，帮腔句"字少腔多"，滚唱句"字多腔少"。有帮一字、帮数字、帮半句与帮整句等多种形式。按帮腔部位来分又有前帮与后帮两种，其中后帮占主导地位。[1]

（二）后帮

唱句在前，帮腔紧随其后，有句尾入腔与整句入腔两种形式。句尾入腔，即在唱句的后几个字进入。

---

[1] 张大军.婺剧高腔中的西安高腔音乐研究[D].浙江师范大学,2011.

谱例 8-1 《上小楼》

```
         (帮)─────────────────────────
7 | 3 | 7·6  55 | 0 7  6 | 6 3  3 6 | 5 3 | 2 | 3  3 |
我   一   去                              谁   管

5 | 3 2  2 3 | 5 | 2 5  5 5 | 6 | 0 6  6 7 | 6 | 3 |
他  上 无  父 母  下  无 儿  女  罢 了 董  郎

7·6  55 | 0 7 | 6 | 6 3  3 6 | 5 3 | 2 | (略) |
夫
```

——选自《槐荫记》

第一处帮腔在"去"字进入，为帮一字，第二处则帮"董郎夫"三个字。句尾入腔有时不占用唱句的字，用前句最后一个字的韵母行腔，也可以用一些虚词来深化剧情，展现人物复杂的内心世界。

谱例 8-2 《一江风》

```
                                    (帮)───────
5 - 2 - 5 6 - | 0 0 0 0 | 2 5 3 2 7 | 6 6 5 | 6 1 | 5 3 2 |
红 梅 阁 上              孤       灯   映

0 5 | 5 7 | 6 | 6 | 6 6 | 6 7 | 5 6 | 7 2 | 6 3 | 6 5 |
       寂   寞   尤   觉   更   漏

帮)─────────
3 3 | 0 5 | 5 7 | 6 | 6 |
长(啊)。
```

——选自《红梅阁》

这段唱腔选自《红梅阁》中裴生唱段，第一帮腔处好似裴生情绪的延伸，思绪万千。第二个帮腔则在虚词"啊"的映衬下，略有几分苍凉之感。在唱句唱完一句或数句后，帮腔以整句的形式开始进入，这时帮腔就独立成句了。

谱例8-3 《丝罗带》

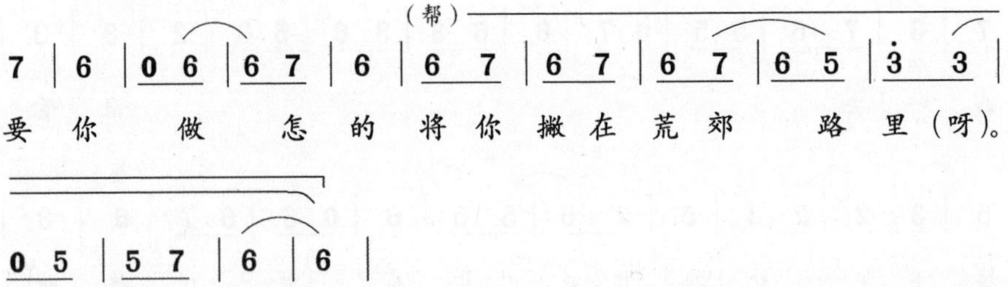

要你做怎的将你撇在荒郊路里（呀）。

——选自《槐荫记》

句尾入腔与整句入腔可以重复唱句的词,不同的是句尾入腔重复前句的后几个字,整句入腔重复前句整个唱词。重复句的作用在于加强语气、增添戏剧性效果。

谱例8-4 《半天飞》

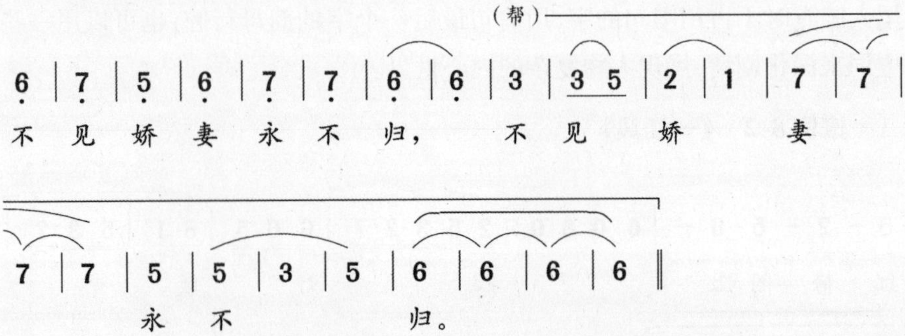

不见娇妻永不归,不见娇妻永不归。

——选自《槐荫记》

董永在七仙姬飞上天庭以后,悲痛欲绝,"不见娇妻永不归"七字,在低音处吟唱,一字一音,沉重有力。然后重复唱词"不见娇妻永不归",旋律逐渐上行,在中高音区徘徊,"妻"字音调为该句的最高音,并持续了四拍,重复句与先前音调形成呼应,两句落音悄然间已完成了八度的转换。

（三）前帮

帮腔先行进入,起一曲或一句之首,与"后帮"相比,"前帮"曲牌较为少见。

谱例 8-5　《画眉序》

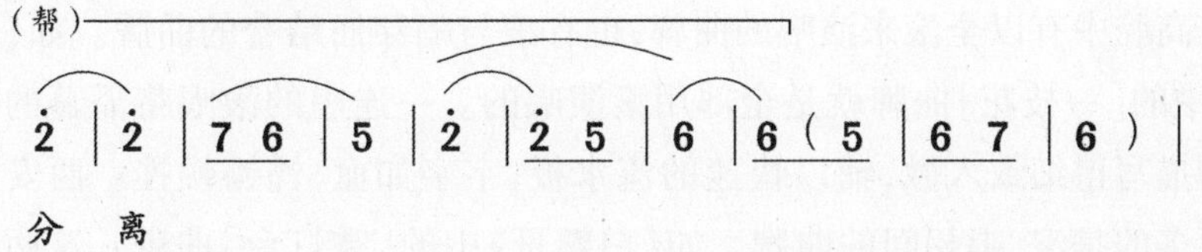

（帮）

2　2｜76　5｜2　25｜6　6（5｜67　6）｜

分　离

——选自《槐荫记》

从性别特征上看，西安高腔一般以男帮男、女帮女的形式居多，但往往为了寻求音色上的变化，增加艺术性效果，男女混帮或男女合帮也时常出现。如《合珠记》中的《米栏敲窗》唱段，就曾多次采用男女合帮、混帮的形式。帮腔的作用表现在它可以为台上演员争取时间，配合演员的表演；此外，它在渲染气氛、解释剧情、描写环境、刻画人物性格、抒发感情等方面有婺剧其他声腔所不具备的特点。帮与唱在剧中的人物表述角色基本是一致的，同为第一人称叙事。有时演员唱完前几个字，剩下部分则由帮来代言。如《槐荫分别》，七仙姬即将上天庭，但董永此时并不知，七仙姬一方面不忍心离开董永，同时，迫于上天的旨意而不得不与董朗诀别，七仙姬内心备受煎熬。这时帮腔以代言的身份将七仙姬的内心独白缓缓唱出。（唱词为"山高水深路途难行，心中有苦无处可伸"。）当七仙姬把事情的来龙去脉详细道明后，董永悲痛万分，唱完"我把银子拿还你"一句后，紧接着帮腔以代言的形式唱"去了万两黄金难买我的娇妻"。帮腔代言多用在剧中人物难以启齿或悲痛万分之时。帮腔在交代时间、地点、人物性格等时，往往以"他者"的身份对场上情况加以描述。婺剧三种高腔的帮腔各有特点，西安高腔的帮腔长短兼备，丰富多彩，运用最为频繁；西吴高腔的帮腔多为句尾腔，整句帮腔很少使用；与另两路高腔相比，侯阳高腔的帮腔则稍显简短。

三、表演特征

（一）滚唱

帮腔虽然在高腔中具有不可替代的作用，但唱的部分仍然占主要地位，唱与帮相比，具有节拍紧凑、曲调起伏平稳、叙事性强的特点。其中"滚唱"的存在为西安高腔注入了新鲜血液，滚唱大体为一字一音，字多腔少，它突破了原曲牌词格对句数与字数的限制，具有更大的灵活性，增强了戏剧性效果,常以七字句、五字句的对偶句形式出现,与原有的长短句式交相辉映。西安高腔中有以全滚来演唱的曲牌,也有滚与唱穿插结合的曲牌。如《白鹦哥》中的[一枝花]曲牌就是全部用滚演唱的。一连串的滚唱将潘葛的复杂心理描写得细致入微,辅以快速的流水板,字字如血,铿锵顿挫。西安高腔中更多的是滚、唱相间的曲牌。如《白鹦哥》中的[掌灯台]曲牌。这两个曲牌是典型的加滚形式,前者为七字句,后者则由五字句构成。加滚多在情绪激动的场合使用,连续的加滚后必然有一甩腔出现,从而将整个情绪推向高潮。

（二）念白

念白,即"说白"、"道白"、"话白"。念白作为戏曲"唱、念、做、打"四功之一,是一种音乐化了的艺术语言形式,具有一定的音乐性与节奏性,它与日常生活中的语言不尽相同。戏曲界有句谚语:"千斤念白四两唱。"旨在说明念白的重要性,念白运用得好与坏直接影响到整个作品的完整性。念白在咬字、强弱、快慢等方面都有严格的要求,要做到"闻其声便知人,聆其语如见其态"并非易事。李渔曾说:"唱曲难而易,说白易而难,知其难者始易,视为易者必难。"因为"盖词曲中之高低抑扬,缓急顿挫,皆有一定不移之格,谱载分明,师传严切,习之既惯,自然不出范围。至宾白中之高低抑扬,缓急顿挫,则无腔板可按、谱籍可查,止靠曲师口授"。优秀的念白"应是音韵和谐美的结晶,或高亢铿锵或迂回婉转或绵里藏针或摇曳多姿,它既需作家在写作中有对声韵调和之功,又需演员念诵时达到悦耳动听之效,优秀演员既是精彩念白的创造者之一,又是最终的传达者"。冰冻三尺非一日之寒,它要求演员认真对待,刻苦钻研。

西安高腔的念白主要有以下几种类型:

自报家门:独白时多用"散白",如《合珠记》中高文举出场时所念"小生高文举,字及成,家住河南洛阳,桃花上口人氏"。

定场诗:一般为二句或四句的诗词,如《槐荫分别》,在得知妻子要离自己而去,董永悲痛万分,往日的情景还历历在目,"当初夫妻去上工,娘子手段大不同;一夜织成锦十匹,飞龙飞凤牡丹红"。再如《白鹦哥》中潘葛在正宫娘娘(其实是潘氏)的祭台前所念"九霄神灵多监察,引带娘娘上云天"。

"数板"指伴随着板鼓的节奏念白,多为朗诵韵文,丑角的上场喜用"数板"。

将念白的最后一字拖长音或用一感叹字,后直接以锣鼓伴奏进入,唱腔紧随其后,这时念白就起到"叫板"的作用。"叫板"的念白富于感情的变化,并与下面的唱腔相呼应,如《审乌盆》中张别古在得知乌盆会说话时而发出惊讶声"呀",这时锣鼓开始进入。

"叫头"多用于人物情绪激动时所发出的呼喊、感叹与控诉等,与"叫板"的不同之处在于"叫头"后直接进入唱腔,没有锣鼓过门。如《审乌盆》中,刘世昌向张别古诉说冤情时所念"老丈呀"。

"滚白"多掺杂在唱句中,在演唱的过程中,将唱腔中的某些字以念的形式出现。滚白随着板式一起快速变化,节奏感较强。如《审乌盆》中《长生道》一句:

谱例8-6 《长生道》

$$\underline{3\ \overset{\frown}{3\ 2}}\ |\ 3\ |\ 0\ 0\ |\ 0\ |\ 0\ 0\ \|\ 0\ |$$

看不　　出怎样长那样短

——选自《审乌盆》

从语言类型来看,念白有方言白与韵白之别。方言白即用当地方言来念,韵白是指按照"中州韵"的规律来读音、咬字,西安高腔的韵白又有金华本地方言的特色,即地方官话。方言白与韵白在什么情况下使用,也没有明确的规定,一般情况下,严肃、端庄、文静、高贵、威武之人用韵白较多,如《合珠记》中的高文举、《三孝子》中的闵损、《槐荫记》中的董永与七仙姬等。人物性格活泼、可爱、调皮、诙谐多使用方言白,如《审乌盆》中的张必古。如今,某些地方戏曲迫于生计,将戏曲中的地方语言改用普通话,这种做法往往会适得其反,不仅破坏了地方戏曲的独特性,而且从听觉上来看也会使观众难以接受。

(三) 帮与唱的融合

帮与唱交相呼应,滚唱进入花腔后,帮腔就要进入。曲牌一般在帮腔中结束,有压轴的功能。西安高腔的单曲牌尾声也可以用唱来代替帮腔,具有较大的自由性。这种处理方式在某些高腔里是不允许的,如川剧高腔,单结构曲牌由"帮(唱)"组成,首尾都不能省略帮腔。从帮腔比例上看,西安高腔有帮多帮少的区别,分帮少唱多、无帮两种结构类型。

谱例8-7 《半天飞》

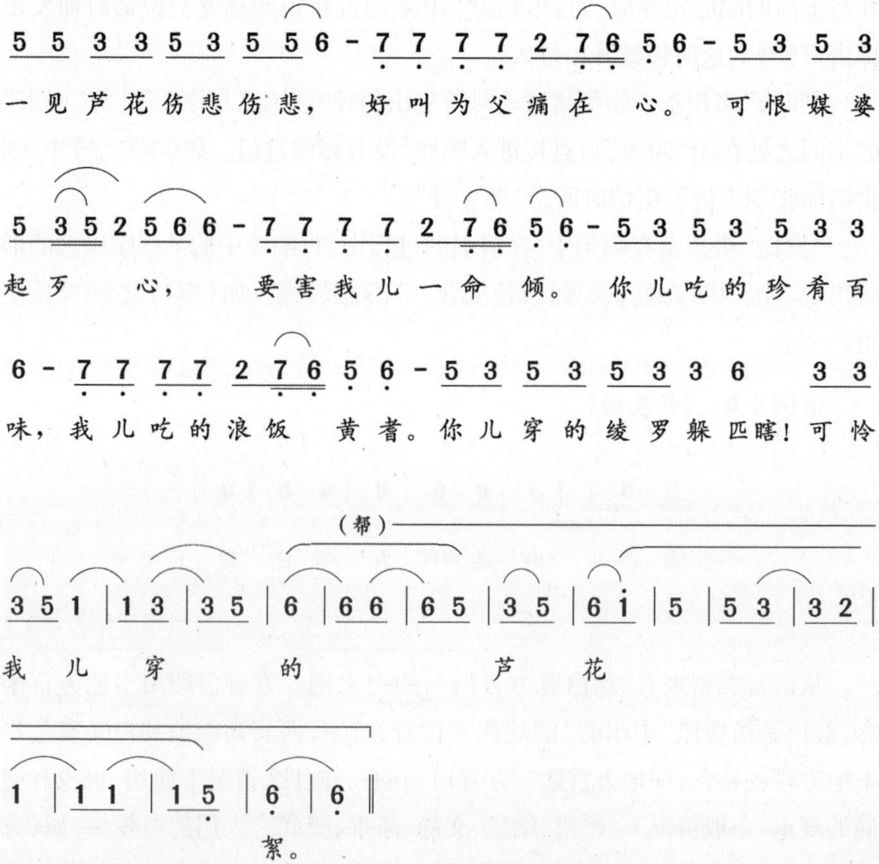

一见芦花伤悲伤悲, 好叫为父痛在心。可恨媒婆起歹心,要害我儿一命倾。你儿吃的珍肴百味,我儿吃的浪饭黄耆。你儿穿的绫罗躲匹瞎!可怜我儿穿的芦花絮。

——选自《三孝子》

这段唱腔选自《三孝子》中阁辉的唱段,阁辉在得知张氏残害阁损之后,一边心疼其儿,同时对张氏的卑劣行径给予斥责。全曲由四个上下句组成,词格为七字、八字句,滚唱部分采用散板的形式,散而不乱,配以板鼓的点数,唱腔铿锵有力,帮腔仅在最后一句的后三字("芦花絮")出现,加重语气。

无帮曲牌较少,且多为短小曲牌,如《白鹦哥》中的[双罗帕]曲牌。

谱例8-8 《双罗帕》

5 - 3 3　3 - 5 - 2 - 3 - 35 65 3　22 13 - 5 - 2 3

看 真（个）容　不　由　人　泪　汪　汪，　　眼 前 无

5 5 2 1 3 - 1. 2 3 5 3 2 1 6 6 1 -

有 个 人　儿　　　像　娘　娘 娘 娘 呀！

——选自《白鹦哥》

西安高腔与西吴高腔中没有全帮的曲牌，侯阳高腔中有时为了衬托唱的内容，在某些曲牌中以全帮的形式显现。

谱例8-9 《驻云飞》

（帮）　　　　　　　　　　　　（帮）

2̇ 3 | 1̇ | 2̇ | 2̇ 0 | 1̇ 3̇ | 2̇ | 2̇ 1̇ 3̇ | 2̇ 2̇ 1̇ 3̇ | 2̇ |

怒 气　满　怀，　　悔 不　该（啊）千 里 迢 迢　千 里 迢

2̇ 6 | 1̇. 1̇ 6 | 6 | 1̇ 6 | 5 | 5 1̇ | 2̇ | 2̇ 1̇ | 6 1̇ 6 | 5 |

迢　　　到　此　来，

（帮）

2̇ 3 | 1̇ | 2̇ | 1̇ 3̇ | 2̇ | 1̇ 6 | 5 ‖

回 家　再　作 另 安　　排。

——选自《黄金印》

该曲牌选自侯阳高腔《黄金印》，苏秦因公孙衍的阻挠而落榜，整首曲牌曲调高亢，旋律多在中高音区徘徊，唱腔结尾处还出现一个高八度的甩腔。

（四）拖腔

拖腔是戏曲唱腔在某个词句唱完后，旋律仍然继续进行的那一部分唱腔，即指无词的音调。拖腔不仅仅限定某一个音的延长，在一句唱词中往往有多个字音的拉伸，形成一个或多个腔句的拖腔。西安高腔的帮腔具有"字

少腔多"的特点,这给拖腔的运用提供了便利,因此帮腔中的拖腔也更为细腻。

谱例8-10 《丝罗带》

(帮)

| 0 3 | 3 5 | 2 | 3 | 0 2 | 2 7 | 6·7 | 2 2 | 0 5 | 5 7 |

怎　　不　肝　　　　　　　　　肠

| 6 | 0 3 | 3 5 | 6·7 | 6 5 | 3 5 | 2 | 2 5 | 5 7 | 6 6 ||

断。

——选自《槐荫记》

董永与妻子离别前那种内心煎熬、依依不舍之情,通过拖腔的手段来表现甚为贴切。跌宕起伏的旋律将人物的内心情感更深、更细、更为形象地展现出来,拖腔这种极富表现力的艺术形式在西安高腔中随处可见。西安高腔的"唱"因"字多腔少"的缘故,长拖腔相对较少,但在散板演唱中,长拖腔则经常出现。

谱例8-11 《浪淘沙》

| 2 - - 3 6 5 3 3 2 1 - - 2 - - 6 5 3 5 6 - - 3 2·7 |

稳　步　　往　前　　　　　　　行　茂　盛

| 6 - - 3 6 5 3 2 - - 3 |

——选自《槐荫记》

有时为了寻求一种艺术上的特殊效果,常使用"紧拉慢唱"的处理方式来丰富唱腔,慢唱因"腔多"而赋予旋律的多变性,伴奏则以流水板的速度来衬托演唱,通过这种快与慢、静与动的矛盾性对比来刻画复杂的人物情感变化。拖腔在表现悲痛、兴奋、激昂的情绪时都可使用,拖腔处理得好会起到"一腔定太平"的作用,运用得不好则会适得其反,它是一个演员功底的体现。连续的滚唱之后必有甩腔的出现,这时甩腔多为"字少腔多"的长拖腔。如果在尾部出现,拖腔则有一种使音乐趋于稳定、终止的效果。

谱例 8-12 《扑地飞》

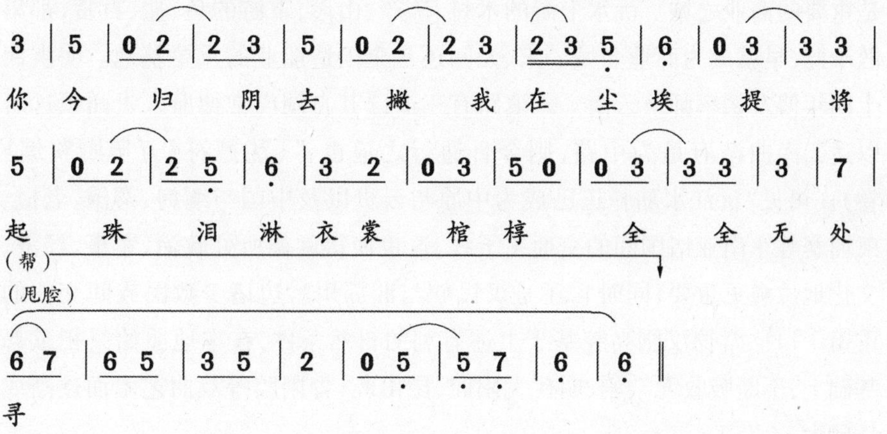

```
3  | 5  | 02 | 23 | 5  | 02 | 23 | 235 | 6  | 03 | 33 |
你   今    归   阴   去   撇   我   在尘  埃   提   将

5  | 02 | 25 | 6  | 32 | 03 | 50 | 03 | 33 | 3  | 7  |
起   珠   泪淋 衣   裳   棺   椁   全   全   无   处
(帮)
(甩腔)

67 | 65 | 35 | 2  | 05 | 57 | 6  | 6  ||
寻
```

——选自《葵花记》

第二节 常德汉剧高腔

一、历史源流

常德高腔是常德汉剧高、昆、弹三大声腔之一。常德汉剧高腔是我国戏曲百花园中一朵古老而又美丽的艺术奇葩,它孕育于原常德府,属武陵(常德)、桃源、汉寿等地,流布于洞庭湖区、武陵山系、辰水、沅水、澧水流域,并远涉鄂西南、川东、黔东一带。常德汉剧俗称常德戏、沅河戏,在中华人民共和国成立后一度被称为常德湘剧;在湘西、黔东少数民族地区则被称为汉戏或湘剧。因其自身具有长久的发展历史和艺术特色,为了避免剧种称谓与湘剧及湖北的汉剧混淆,常德的文艺工作者和文化主管部门曾于 1986 年上报湖南省文化厅,经批准将常德戏定名为"武陵戏"。然而,常德地区的普通民众仍然习惯称常德戏为"汉戏"。为了区别于其他地区的汉剧,也为了尊重历史,我们将诞生在沅水流域,流传于湘、鄂、渝、黔的常德戏称为"常德汉剧"[1]。

常德,古称"武陵"。位于湖南北部,北接湖北,西通四川、贵州、云南等地,素有"川黔咽喉,云贵门户"之称;地处"湖广熟,天下足"的洞庭湖西侧,是重要的商业之城。沅水上游的木材、矿产、山珍,下游的鱼、盐、百货,都集散于此,早就成为商业名城。宋、元间还是全国造船业的重要基地。明洪武十四年傅友德率师下云南。入滇路有三道:"其自湖广常德府入贵州镇远府以达云南曲靖府是为中路,则今日通行之道也。"(沈德符《万历野获编》卷)。可见"沅江水陆驿道已成为中原与云贵以及中国与缅甸、泰国、老挝、柬埔寨等东南亚诸国间的交通主干线,这也使得常德所处政治、军事、经济、文化地位愈见重要,同时它还是汉民族与湘鄂川黔边诸少数民族间交往的重镇"[2]。常德汉剧高腔基于上述有利的自然条件,在本地原始祭祀歌舞基础上,不断吸收元杂剧、明代弋阳腔、昆山腔、青阳腔等戏曲艺术而逐渐成长壮大。

常德高腔演出剧照

(一)沅水流域最早的戏剧活动

据《嘉靖常德府志》称,元初,常德归荆湖北道宣慰使司管辖,直属湖广

---

[1] 彭筠,叶申学,周星林.沅水流域早期戏剧活动与常德汉剧高腔的起源[J].艺海,2009(03).
[2] 同上.

省。延祐六年,建文庙、筑露台,视为官府、祠庙陈演乐舞、戏曲之场所。而在至大三年以前数十年,常德文庙还是"祀用俗乐"(元·史节翁《新置大成乐记》),这俗乐应为民间吹打乐或戏曲。元·夏庭芝《青楼集》云:"内而京师,外而郡邑,皆有所谓勾栏者,辟优萃而隶乐,观者挥金与之。"元代,有胡祗遹、姚遂、刘因等元曲家及赵世炎等贵官多来常德,"遇公宴,众伎毕陈,是当时风气";《青楼集》载帘前秀等杂剧艺人,多"驰名湖湘间";湖南并有杂剧作家张鸣善等。元杂剧在常德当有较深影响。兴建露台的主要目的是用于祭祀和演出。由此可见,沅水流域的戏剧活动早在元朝时期就已经出现,为常德汉剧的形成奠定了基础。

(二) 常德汉剧形成于明朝[1]

荣王府的戏曲活动据明史《诸王》载,宪宗庶十三子朱祐枢于正德三年之藩常德,而《嘉靖常德府志》载荣王朱祐枢是正德四年到常德的。这种误差,可以理解为《明史》记载的是下诏赴任日期,《常德府志》记载的则是荣王实际到达常德的时间。史载朱祐枢"居国颇骄纵"。按明代通例,"亲王之国,必以词曲千七百本赐之"(明·李开先《李中麓闲居集》张小山小令后序)。建文、永乐、宣德诸朝,对亲王之国不但赐予词曲,而且还赐予乐户(见张庚、郭汉城主编《中国戏曲通史》)。明史《武宗本纪》载:"(正德)三年,秋七月壬子,命天下选乐工送京师。"事在荣王朱祐枢离京之前。由此可以推断,朱祐枢有可能从京城携艺人、词曲南下,常德艺人也传说荣王曾带来戏班,王府戏曲活动非常频繁。到了万历年间,沅水流域戏曲活动更加频繁,尤以常德荣王府为盛。荣定王朱翊珍一生酷爱戏曲,"音律刻漏,咸究厥妙"(《湖广总志》),曾手订《中原音韵》一书,常与剧作家龙膺讨论戏剧,还能自制新曲。龙膺《东邸侍宴》诗:"幽兰度曲舞阳阿,乐府亲翻子夜歌。足捧雕竿盘弱黛,指陈琼桂奏轻娥。"《祭荣定王殿下文》称王府:"鱼龙角牴,百戏毕呈。"龙膺并有应制南北套曲多套等。荣王府歌舞戏曲之盛,可见一斑(均见龙膺《龙太常全集》)。除了朱祐枢嫡系,还有福宁、惠安、永春、富城、贵溪诸王,府第均在常德内,诸王也都不事生产,日溺笙歌。

在中国历朝变更中,湖南湘西地区曾经存在一个特殊的"土人治土"的政权,那就是唐天授元年至清雍正六年的溪州土司王朝。在土司王朝历史

---

[1] 彭筠,叶申学,周星林.沅水流域早期戏剧活动与常德汉剧高腔的起源[J].艺海,2009(03).

中,尤以明朝彭氏土司王朝为盛,他们曾数十次响应朝廷征调,屡屡为国家和民族建立功勋,涌现了一批杰出的民族英雄。明嘉靖年间,倭寇横行中国东南沿海,永顺宣慰使彭翼南、桑植安抚使向鹤峰率土家兵赴闽浙讨伐倭寇,战功卓著。明末史官严守升在《田氏世家·容美宣抚使田九霄世家》中记载:"会倭平班师,胡公(浙直总督胡宗宪)张筵饯送,时与宴者,永顺宣慰彭翼南、桑植安抚向鹤峰进酒酣,命席间讴唱为乐,向歌《楚江秋》,彭歌《大江东去》各一阕,胡公笑曰:我固谓彭宣慰面似梨花,果然矣。盖彭在家常演戏为乐。"这段文字详细地记载了平定倭寇的战役取得胜利之后,浙直总督胡宗宪曾经大摆筵席,为各路友军饯行。永顺宣慰使彭翼南、桑植安抚使向鹤峰也在座。当酒酣之时,胡宗宪命将士们唱歌助兴。轮到彭翼南和向鹤峰时,他们两人分别演唱了《楚江秋》和《大江东去》。胡宗宪笑道:"我一直认为彭翼南面似梨花,是个唱戏的料,今天大家可见识到了吧。我们这位宣慰使在家乡时就常常以演戏为乐。"永顺宣慰使即溪州土司王,其治所在土司城,位于沅水上游酉水的支流灵溪河,该地属永顺县辖,与桑植、龙山、古丈、沅陵诸县交界,现已作为文化古迹保护并被开发成旅游景区。史书上记载的这一年是明朝嘉靖三十八年,足以证明永顺、桑植等土司王府这时已有戏班与戏曲活动,汉民族戏曲艺术传入湘西少数民族地区年代久远。又据谈迁《北游录》载:"汉官至,例公宴,酒九行,优唱九出土官延客,备南调其礼大抵拟于王公。"这就说明,当时沅水流域的戏曲水平已经"大抵拟于王公"水准。[1]

(三)民间戏曲活动

常德高腔原有"二十四孝"之称。其时正值王阳明理学昌行之际,"二十四孝"一类题材剧目应运而兴。今存《葵花井》等戏唱词,长短句式者,多无一定曲牌规范;而七字句齐言体形式尤多。有明标"唱昆腔"者,既无牌名,且全为整齐七字句。20世纪80年代挖掘所得桃源县太平铺木偶班所演常德高腔十二本《香山传》,全本剧词基本为宝卷体,剧中人常作"话犹未了,那厢某某来也"之语,这类剧目显然是由说唱艺术搬上舞台的。部分戏剧工作者再次来到桃源县太平铺乡,见到了当地木偶高腔的传人李鹏飞,实况录下

---

[1] 彭筼,叶申学,周星林.沅水流域早期戏剧活动与常德汉剧高腔的起源[J].艺海,2009(03).

了几段唱腔,成为常德高腔"申遗"的珍贵资料。[1] 虽然常德高腔已成功列入第一批国家级"非物质文化遗产保护名录",但其早期的唱调来源与早期的民间戏曲活动之关系还需进一步的考证。

二、汉剧高腔剧目

据统计资料显示,常德汉剧的剧目共有四五百个。其中弹腔剧目占90%以上,高腔次之,昆腔最少。弹腔剧目有"江湖戏"与"一家戏"两类,各班都会演唱的剧目称"江湖戏",而各班戏路不同,独具特色的剧目则为"一家戏"。弹腔戏的剧目以演绎汉、唐、宋各朝故事为主。"江湖戏"中生行有"三杀五图"、"七山四斩";花脸行有"五关七打"和"三烧两逼";小生行有《黄鹤楼》等;另有《访普》《贵妃醉酒》等生行、旦行唱功戏。在"一家戏"中,四大名班各有擅长剧目:瑞凝班擅演"隋唐戏"与"背时的宋江戏"、"五洞戏";天元班则演出三国、两汉、封神故事,另有《宝莲灯》等;文华班擅演"行时的宋江戏",本班的"十大名剧"及《岳飞传》等;同乐班也演本班"八大名剧"、"山头戏"。[2]

常德高腔剧目原有"二十四孝"十二本,目连戏四十八本以及大量的传奇剧,遗憾的是今大多均已失传。新中国成立以来,曾恢复有30余个剧目,其中常演的是《思凡》《祭头巾》《蒙正观匾》《天官赐福》等。此外,编演的现代戏剧目中具有代表性的有常德市汉剧院的《巧婚记》,桃源县汉剧团的《发霉的钞票》《姻缘错》,汉寿县汉剧团的《芙蓉女》(高腔),永顺县汉剧团的《特别口令》,公安县汉剧团的《黑犬案》等剧。另有常德汉剧团编演的《杨八姐闯幽州》《帅印重归天波府》等大型历史剧和2001年新编历史剧《紫苏传》(高腔)等。

三、汉剧高腔音乐

常德汉剧的唱腔共有高、弹、昆三大声腔和部分民间小曲,现以唱弹腔为主。常德汉剧中的高腔又称"草平",可分南、北两大路子。常德高腔是在

---

[1] 彭筠,叶申学,周星林.沅水流域早期戏剧活动与常德汉剧高腔的起源[J].艺海,2009(03).
[2] 参见中国戏曲剧种大辞典编辑委员会.中国戏曲剧种大辞典[M].上海:上海辞书出版社,1995:1234.

本土原始祭祀歌舞音乐之基础上,不断吸收青阳腔、弋阳腔等戏曲声腔发展而成。如受到傩愿腔、巫腔、渔鼓调、佛教音乐、花鼓、小调及青阳腔的影响,形成具有浓厚地方特色的曲调。明万历至清乾嘉年间是常德高腔最为兴盛的时期。基本唱腔三十余种,传统曲牌七十余个。曲牌分属宫、商、角、徵、羽五种调式,以变宫、清角居多,有"九腔十八板"、"九板十三腔"等高傩腔调。基本板式有三眼板、一字板、夹板、流水板、散板五种。演唱形式有滚唱、帮腔等,演唱时由演员发腔,鼓师辅腔接腔。起唱有散、过以及撞板三种形式,放流句尾均唱过板,圆句尾字为撞板,这些均为常德高腔的常用起唱形式。因其腔尾拖音融合了地方劳动号子(如沅水号子、扎排号子)的音调,故宫调式曲牌相比其他高腔要多,这在其他高腔中较为少见。有俗语曰:"高腔高腔,有腔必帮。"充分说明了帮腔在高腔中之重要性。其帮腔可分唢呐帮腔与人声帮腔两种形式,前者用大锣、大钹、唢呐、笛子等乐器随奏;后者用小锣、小钹结合众人声帮和,并有本嗓、边嗓、夹嗓、小嗓等多种演唱方式。常德昆腔素与高腔、弹腔合流。每次演出须以昆曲开场领先,称为神(晨)戏。这种演出程式一直持续到新中国成立前夕。如:大三星、大封箱、八大仙等均属此类。常德昆腔曲牌由五声、六声、七声等音阶组成,内有变宫、清角部分;念白属于乡语,唱腔圆而字不正;常用板式有慢三眼、一字板、流水板、散板等四种板式。打击乐与高腔、弹腔同源。如今我们能在民间听到的剧目唱腔均以弹腔为主。弹腔分南北两大腔系,包括南路(二黄)、反南路(反二黄)、北路(西皮)、反北路(反西皮)诸腔调。基本腔和各种板式与京剧二黄大体相同。两大腔系均基于上、下两句台词分为四个腔节反复轮唱。最完整上、下句式须以"一流"为母,派生出板式连套不同音调色彩的腔调。广泛运用的是南路、反南路、北三种腔调,板式有导板、慢三眼、一流(原板)、二流(流水板)、三流(消眼,即散板)、快打慢唱(摇板)、哭头等。其板眼可快可慢,音符可缩可伸,乃本地弹腔特点之一。无论哪种板式和旋律结构的骨架基本一致。

  其中,南路以"码头慢"三眼见长。另有《关东调》属于生、旦分腔的一种红生腔,气势高昂雄壮,以塑造英雄人物见长。另有"肚蛾子"老板头、老半头、南转北、驳子联弹、滚板、哀子等富有本剧种之特色。还有连套派生腔"反南路",其中创有八句不同旋律的"慢三眼",称"八块屏"。南路平板的旋律多变,板眼灵活。共有新水令、黄八板、来凤腔、高平、正平、佛平、安平等,均不限词格演唱。北路原以呔腔为基础,全台同腔,而上句落"宫音",下句落"徵音"。弹腔中一些很有特色的唱腔,如南反北、子母调、呔腔、丑角腔、草鞋板等,在其他皮黄剧种中少见。[1]

第三节 湘剧高腔

一、历史源流

从史料记载来看,湘剧高腔源于明代江西弋阳腔这一声腔体制,其产生可追溯到明代。这可从如下的记载中得以证明:(1)明成化八年(1472),官至礼部尚书兼文渊阁大学士的李东阳,在《燕长沙府席上作》一诗中有"西阳影堕仍浮水,南曲声低屡变腔"之句。南曲,当指南戏之声腔。可见当时的长沙,不仅有了戏曲的演出活动,而且出现了南曲的表演形式,这都在李东阳的诗中描述得一清二楚。而南曲,则正是高腔形成与发展的重要源泉。(2)明嘉靖三十八年(1559),徐渭《南词叙录》中有记载称:"弋阳腔,出自江西,两京、湖南、闽广用之。"他进一步证实南戏声腔中之弋阳腔早在明嘉靖年间就已经在湖南安家落户开花结果了。李东阳与徐渭虽相距80余年,但在叙述湖南的戏曲声腔方面,从流传的年代(成化、嘉靖)、声腔名称(南曲、弋阳腔)致流行的地点(长沙、湖南)等明确一致,前后合拍。这说明当时湖南的戏曲活动已非常活跃,而且在湖南以外也颇有影响。可从声腔对比来看二者之间的渊源关系。

(一)共同点[2]

湘剧高腔与弋阳腔有着密切的渊源关系,它们不仅在表演的形式(不托管弦、锣鼓助节、一唱众和)上完全一样,而且在曲牌的结构、唱腔的板式、节奏、调式类别乃至旋律音调等方面,都有着许多共同或相似的地方。大体可归纳为:

---

[1] 该部分内容参见蔡芳.浅谈"常德汉剧"之音乐文化[J].艺海,2008(01).
[2] 何益民.湘剧高腔音乐研究及发展对策[D].湖南师范大学,2005.

（1）二者的体式、结构的基本原则是相同的，都是词曲体形式，都是由一定数量的腔句以一定的规格构成的曲牌。

（2）二者唱腔句式的组合方式，即腔格都有某些共同的规律和特点，如腔节的联结和句尾的放腔，及其腔词的结合、腔句的旋律走向都基本一致。

（3）二者唱腔的基本旋律音调有着相似或相近的地方。

（4）二者在板式、节奏上有许多相同或相近的地方，如从眼上或侧眼起唱，旋律的切分节奏音型等。

（5）二者各类曲牌的调式类型和特征也基本相同。如[桂枝香]一类曲牌多具羽调式特性；[驻马听]一类曲牌多具徵调式特性等。此外，二者"加滚—放流"的结构形式也多有相同之处。

湘剧高腔演出剧照

（二）不同点[1]

湘剧高腔来源于弋阳腔，然而它和弋阳腔毕竟是两个不同剧种的声腔，二者有着显著的区别：

（1）由于地方语音的不同，二者在依字行腔的具体旋法上，各自有着极为鲜明的旋律特色和地方风格。

（2）由于各种复杂的原因，二者在腔句的规范与造型上，区别较大，各有自己的腔型，各具一格。

---

〔1〕 何益民.湘剧高腔音乐研究及发展对策[D].湖南师范大学,2005.

以上两点既是二者的区别,也是形成两个剧种不同风格特点的主要标志。语言音调对于戏曲唱腔旋法的影响是众所周知、自不待言的。但腔型的规范,则是一个极其复杂的问题,是在长时期的衍化过程中成型的。

从以上的史料记载和声腔对比中可以得出,湘剧高腔源于弋阳腔,并在继承弋阳腔的基础上,经过长期的衍化,逐渐发展起来的。从它们音乐上各种共同的内在因素来看,也证实了湘剧高腔与弋阳腔之间这一承袭的血缘关系。

二、变革发展

湘剧高腔形成为一个完全独立的剧种声腔,最主要的标志是声腔形式的地方化。早在明嘉靖、万历年间,大量的青阳腔滚调剧本传入湖南,被湘剧移植。由于湘剧高腔早已形成了独立的声腔,因此,它在声腔上并不为青阳等腔所左右,而完全以"错用乡语",用自己已经成熟的传统唱腔来"安腔立柱",并创造和发展了"腔流结合"的唱腔结构形式"放流"。"放流"是湘剧艺人在传统滚唱基础上进一步创造、发展的新调,在文词和音乐上都有了很大的发展,具有自己鲜明的艺术特色,成为戏曲声腔史上的一个重大变革和发展。

(一) 放流的产生

所谓"放流",即在原曲文的前前后后,以观众所熟悉的语言或古俗诗文、谚语白话,插在其间进行演唱。"放流"的运用根据剧情与人物的需要,从句幅到篇幅,可以长短不拘,多少不限,打破了传统的词曲文体的结构规格。虽然当时的文人士大夫们对此不能容忍,但却极大地满足了乡村百姓的审美需求。放流的出现,是对词曲的一种解放,它挣脱了南北曲日益趋于僵化的艺术形式,并极大地增强了民间戏曲的表现力。这种生动活泼、通俗易懂的大众化的曲文形式,已经变成了湘剧放流的一种特殊的艺术手段,使如诉如歌、流腔一体的高腔音乐,发挥了强大的戏剧性效果。如:《琵琶记》中赵五娘、张广才进行大段放流演唱时,台下的观众完全被剧情和唱腔所吸引,甚至感动流涕,有的还跟着吟唱,足见这种形式受观众喜爱的程度。腔流结合,突破了词曲的传统形式,产生了一种新型的词曲文学形式和新的声腔结构形式,一方面继承了唐诗、宋词、元曲的传统,一方面又进行了创新变革,走着一条大众化的道路,使高腔艺术获得了强大的生命力。[1]

(二) 词格的改变

早期的高腔曲牌需遵循一定的结构原则,每支都有规定的腔句。而放流的出现,改变了它的传统结构,使音乐得到了充实和扩展,整个唱腔旋律在音调、节奏、色彩乃至调式调性上都有了强烈的变化,流与腔犹如红花绿叶,互为依存,互为衬托,显得丰富多彩,声情并茂。腔流结合的曲牌音乐,有如下几个对比性特征:

1. 音乐结构的对比性

"腔"是"词情少而声情多",善于以气势纵横或者婉转流丽的旋律,抒发人物的情绪;"流"则是"声情少而词情多",善于以滔滔如注或者涓涓如泉的声调,雕琢人物的内心感情。腔和流各以不同的结构形式和不同的表现性能,结合在一支曲牌之中,成为一种新的统一的曲牌体结构形态,造成了音乐结构上的对比性,极大地增强了唱腔的表现力。

2. 板式节奏的对比性

在节奏方面,"流"是紧促、密集的句式,而"腔"则一句曲文一句腔,节奏自由拉伸;在板式上,"流"具有垛板、流水板、数板的性质,而"腔"完全是扩展型板式。放流是高腔板式节奏的大发展。腔与流两种不同性质的板式节奏结合在统一的曲牌体中,形成了鲜明的对比,大大地增强了唱腔的艺术表现力。

3. 调式色彩的对比性

一般地说,腔流结合的曲调在调式上是统一的,但也有许多曲调在调式色彩上形成了鲜明的对比。最常见的是放流的上下句式的落音,并非是"腔"的调式主音和骨干音,而是与"腔"在调式上对置起来,形成一种鲜明的腔、流调式和色彩的对比,极大地丰富了唱腔旋律的表现力。腔流结合的艺术内容是丰富的。总的说,"流寓于腔的调式、旋法之中,流是从腔的旋法基础上变化而来的。但流的特点是依字行腔,它可以根据不同的剧情和不同人物性格的需要,予以变化和发挥,造成在旋律、节奏、调式、色彩上多种多样的对比,不断增强其艺术表现功能。"[2]腔流结合的艺术形式,对于高腔

---

[1] 何益民.湘剧高腔音乐研究及发展对策[D].湖南师范大学,2005.

[2] 同上.

的发展,起到了重要的作用。

三、音乐特征

高腔者,指"徒歌清唱、锣鼓助节、一唱众和、滚白滚唱、其声嚣昂"的戏曲声腔。湘剧高腔音乐具有浓厚的民间特色,它灵活多变、通俗易懂、易学易传、易于吸收融化,并有乡音口语错杂运用。

（一）曲牌结构

湘剧高腔曲牌名称多沿用唐、宋、元以来的词、曲牌名,其音乐属曲牌体结构。演唱时以曲牌为单位,有时又以联套形式来表达剧情和刻画人物、塑造形象。曲牌的整体意义是词、腔组合。

《湘剧高腔十大记》封页

1. 词与腔

"词是指曲牌的词格、句式、平仄及韵脚。凡传统曲牌无论是长短句,还是齐言句,都有较固定的句式和字数。即曲有定句,句有定字,字有定音,这是曲牌形成的基础。"[1]按照中国传统曲牌的基本格式组成的高腔曲牌被称作"原曲"或"原格"曲牌。在实际运用当中湘剧艺人通过加"衬"、"换头"以及增词不增腔的手法,将传统曲牌进行不断变化和发展,在原曲牌中增加一些与内容相适应的唱词,以适应剧情和人物情绪的需要。腔是指可以歌唱的腔句。高腔演唱中凡有人声帮腔、锣鼓伴奏的句子,不分句幅长短("报前"例外),均为一腔。高腔音乐的主体是腔句,腔句又是构成曲牌音乐的基础。一支高腔曲牌是由若干个完整的腔句,其中包括不同的音乐素材、不同的调式旋法、不同的板式变化和不同的曲词组成。腔句的设置是按照曲牌词意的布局来确定的,有一句(唱词)一腔、一句两腔、两句一腔、重句一腔、

---

[1] 转引自何益民.湘剧高腔音乐研究及发展对策[D].湖南师范大学,2005.

三句一腔和多句一腔等各种组合形式,它们有的与词意有关,有的则是音乐旋律发展变化所致。

2. 腔句组合

腔句是构成湘剧高腔曲牌的核心,决定着曲牌的整体结构。湘剧高腔中的"腔",说的是以"柱"(腔句)为基础并按照一定的规律组成各种曲牌,每支曲牌都有固定的腔,多腔或少腔都被讥为"荷花牌子",即不合规格。因此每组合一个曲牌,腔型原貌及腔数的多少,必须按规定度曲,不能随心所欲地乱拼。湘剧高腔曲牌的腔句组合,少者一腔,多者九腔。组合既有规可循,又灵活多变。高腔在演唱中很讲究唱词的平仄,一般来说,平声字多为下句腔,仄声字多为上句腔。"一呼多应"多是押仄声词句的放流唱段,"多呼一应"则是感情的强调和情绪的深化。

3. 曲牌分类

湘剧高腔曲牌不同腔句如何结合也是有规可循的。腔句本身的结构中就包含着不同调式、不同板式、不同旋律和不同的组合形式。根据曲牌的不同音乐素材的特色,将曲牌分为四类:[1]

(1) 黄莺儿类。"黄莺儿类"曲牌,是湘剧高腔中为数最多的一类,据统计,数量多达120多首,它们采用"商"、"徵"调式创作而成。

(2) 四朝元类。"四朝元类"包括旋律和调式相近的曲牌,如[四朝元]、[下山虎]、[小桃红]、[孝顺歌]、[二犯淘金令]等。

(3) 山坡羊类。"山坡羊类"曲牌绝大多数还保持着原曲牌的基本结构,发展变化较小,其腔句落音为"角"和"羽"。

(4) 汉腔类。"汉腔类"曲牌,在湘剧高腔中数量较少,但有着重要的地位。多在为传统剧目连台本大戏中运用。"汉腔类"曲牌有"大汉腔"与"小汉腔"之分,但在实际运用中二者可相互借用腔句,构成湘剧高腔曲牌的另一大特点。

(二) 套曲与集曲

湘剧高腔曲牌结构除单曲体外,"套曲"、"集曲"等形式也较为多见。

1. 套曲

所谓套曲指若干曲牌联缀成套。其中有"南套"、"北套"、"南北联套"

---

[1] 何益民.湘剧高腔音乐研究及发展对策[D].湖南师范大学,2005.

和"南北合套"几种。"南套"较宽,"北套"较谨,"南北联套"随意,"南北合套"较精。"南套"的组合变化较灵活,它没有"北套"那样严谨有序。湘剧高腔中"南套"较多,选曲各异。最有特点的是《昭君和番》套曲,它的演唱方法特殊,采用问答式对唱,并反复运用转调手法,使旋律有新鲜感,促使乐思发展,板式节奏变化频繁,多次出现单板、夹板、单板,配合人物的情绪起伏变化恰到好处。"北套"较严谨,每组合一套曲牌都有较固定的格式。如高腔剧目《单刀会》中关羽所唱的北曲,就是以[新水令]、[驻马听]等七曲固定组合而成,以联套的形式,由一人主唱。"南北合套"由南曲和北曲组合而成,北曲多为"羽、角"调式,南曲多为"商、徵"调式,演唱时一南一北相间连接,形成调式色彩上的对比,体现出不同的性格和情感的变化。"南北联套"是一种南、北曲混合形成的组合,在一场戏里可以南、北各曲同时演唱,它没有选配规律,不拘形式,自由选用。

2. 集曲

集曲是南曲中常用的一种曲牌联缀形式。集曲是结合各种曲牌之不同特点的腔句或唱段,每曲选句多少和曲牌规模大小,是根据需求来确定的,多者十余曲,少者二三曲不等。集曲在组合上不拘一格,灵活多变,能突破原曲牌过于严谨、表现力不够丰富之弊端,但也有一定的约束,不能随意乱拼乱凑。一般多集宫调相同、主腔相似的句、段,湘剧传统称之为"犯腔";也可集不同宫调的句、段,但组合时必须运用"移宫"手法,湘剧传统称之为"犯调"。湘剧艺术大师徐绍清先生集一生的演唱经验与研究,将其概括为"穿"、"挂"、"索"三个字。"穿":即在一个曲牌或唱段中,一个乐节、一腔或一腔以上其他曲牌中的旋律(以不构成完整乐段为原则),所穿进的部分如属同类或者同调式曲牌中的旋律,就不出现转调感;如果穿入部分为不同类、不同调式,就会出现转调现象,给人以新鲜感。"挂":当一支曲牌尚未完结时就转入其他曲牌或者连续转入几支其他曲牌中的一部分或全部。同类曲牌相挂,不出现转调;异类曲牌相挂,便会出现转调。"索":由于某一事件或者人物某种情感上的联系,一个腔句或一个乐节、乐句、乐段,可以在一折、几折与全剧中反复出现或反复变化出现的手法。"索"可以用"穿"的手法形成,也可用"挂"的手法形成。"穿"、"挂"指的是在一个曲牌或唱段中进行的手法,"索"则突破了曲牌与唱段的局限,可以在一折、几折乃至全剧中不断出现,在某种意义上讲,它已具备了音乐主题发展的雏形。"穿"、

"挂"、"索"是湘剧高腔的集曲手法,也是丰富旋律、发展腔句的重要方法,具有风格相近、联接方便、转换自由的特点。[1]

第四节 辰河高腔

一、历史源流

辰河高腔的曲腔幽雅,表演朴实,富有乡土特色,为人们所喜闻乐见,广泛流传于怀化市、湘西土家族、苗族自治州,以及与这些地区毗邻的贵州的桐仁、松桃、印江、思南、玉屏、镇远和四川省酉阳、秀山、黔江、彭水等县(市)。演出剧目内容健康,艺术性强,使广大观众在艺术上得到美的享受。在活跃、丰富群众文化生活,寓教于乐,继承和弘扬民族文化,加强民族团结,促进经济繁荣等方面起到了积极作用,具有极其深远的现实意义和历史

辰河高腔

---

〔1〕 转引自何益民. 湘剧高腔音乐研究及发展对策[D]. 湖南师范大学,2005.

意义。辰河高腔是包括高腔、弹腔和很少部分昆腔在内的以高腔为主的一个地方戏曲剧种,因流行于沅江中上游的支流辰河一带,故名"辰河高腔"。辰河高腔是一个流传地区较广而颇有声誉的地方剧种。初步考证,辰河高腔发源地是泸溪浦市镇,形成时期系清代道光至咸丰年代,是从弋阳而来,属戏曲四大声腔弋阳腔范围。辰河高腔这个剧种形成的初期,是以堂会形式在一些私家演唱,辰溪最早的围鼓堂是"桂和堂",成立于清代咸丰年间,后来又成立了"积庆堂"、"协和堂"、"佳和堂"、"少和堂"等。高腔就是在这种堂会形式下,不断研讨、实践,改造而逐步丰富完善起来,终于成为一个具有独特风格的新的剧种,是我国戏剧百花园中一朵绚丽的山花。辰河高腔最初在绅士中流行,其后才发展到市、村民阶层。尽管围鼓堂随后有所扩展,仍不能满足越来越多的喜爱高腔群众的要求,而出现了低台(木偶戏),又叫"矮台戏"。低台的形成和发展,促进辰河高腔走上了高台的演出(舞台演出)。高腔是什么时候登上舞台的,无任何历史资料可考。据已故的高腔名丑陈德生和浦市围鼓泰斗印佛痴所保存的资料,在清代咸丰年间,贵州人杜风林在浦市组建戏班登台演出。培训学员均采取在江湖班中边传授边演出的方式,杜风林是组班授徒的先导。到了光绪年代,在辰溪先后成立的班社有"仁和班"、"四喜班"、"大红班"、"双喜班"、"德胜班"、"双合班",这些班社活动时间都不太长,在群众中的影响不大,有的甚至鲜为人知,而历史最悠久、影响最广的是宣统元年成立于浦市,后转至辰溪的"双少班"。"双少班"是浦市富绅康少百与其挚友名生角各代健(字少康)组建。在清末民初间,辰溪、泸溪、沅陵、浦市以及乾州、花坦、凤凰等地,凡重大演出活动,均以能请到"双少班"为荣。"双少班"从成立到结束,达四十余年,走遍了湘西各县,包括许多偏僻山村及边远苗寨,培养了杨学贵、石玉松、刘喜发、杨仕元、肖连元、唐玉清、姚金榜、江俊卿等艺届名流,真可谓名角汇集,人才济济,是一个备受群众欢迎的班社,在高腔发展史上谱下了光辉的篇章。新中国成立后,被编为县级剧团。由此看来,辰河高腔是从围鼓到低台再到高台,经过长期的承前启后和不断的锤炼创新,独具风采,广泛流传的地方剧种。曲牌的声调体制,源于弋阳腔,经过长期和湘西语言、民间音乐相糅合,逐渐衍变而成,适用于表达喜、怒、哀、乐等各种不同的思想感情。各类曲牌近200支,曲牌名称多借用古词牌名,其中常用的主要有《归朝欢》《降皇龙》《汉腔》《驻云飞》《江儿水》《四朝元》《耍孩儿》《红袖袄》《懒画眉》《香罗贷》《占绛唇》《新水令》《一家书》《江头巾桂》《浪淘沙》《步步娇》《混江龙》《来防序》《榜妆台》《下山猫》《泣颜回》《五更转》《淘金令》《玉芙蓉》《主马厅》《桂枝香》《桂坡羊》《半枝花》《倒扳浆》《吹破》《引子》《扑灯娥》等曲牌。

高腔的曲调,是以三眼板为节奏口传授教的。其特点是:

(1)"向无曲谱,只沿土俗,借用乡语,改调歌之",在演唱中有很大的灵活性,富有地方特色。

(2)声音高亢、嘹亮,风格粗犷、豪放,感情朴实、真挚,音域较宽,可在高、中、低音区回旋,声音高亢、嘹亮。粗放时,响彻云霄;柔和时,则细若游丝,婉转别致,幽雅动人。

(3)腔调可塑性大,曲牌宫调亚厘,一支曲牌,各种行当的人物都可以用,可塑造各种人物的形象,表达各种不同的感情。

(4)一人启口,唢呐帮腔,其未节以鼓,不托管弦。高腔是以曲调优美著称的戏曲,走上舞台后表演朴实,化妆简单,仍然着重于唱腔的幽雅,缺乏成套的武功。随着高台艺术的不断完善,借鉴创造了一套塑造人物形象、表达人物感情的表演程式和技巧。

二、音乐特征

辰河高腔音乐是曲牌联套体结构,这种戏曲音乐的结构形式与戏曲音乐的板式变化体相对。曲牌连套体的结构形式是以曲牌连套的方法作为其基本的手段,以长短句的曲牌作为结构的基础,由此构成的戏曲音乐就是曲牌连套体的音乐。曲牌连套体的音乐在昆曲中较为常见,高腔中也是较为多用。辰河高腔作为一种历史较为久远的音乐形式,其音乐调性丰富、曲牌众多、结构繁而复杂、唱腔变化较多。按其结构,不论音乐的繁简,其音乐基本上都是由腔句和数板两种形态构成。其中腔句由"正体腔句"和"派生腔句"两种基本形式组成。"正体腔句"是"派生腔句"的基本模式,"派生腔句"根据"正体腔句"而形成的腔句曲牌大概有四五百支。以腔句和数板的旋法特点,可以系统地划分为以下母调:"锁南枝母调"、"红衲袄母调"、"锦堂月母调"、"汉入松母调"、"驻云飞母调"、"汉腔母调"、"新水令母调"。其中"汉入松母调"由两个不同的宫调系统组成,依此辰河高腔共有八个母调,每一个母调又包含若干个细小的分类,每一类同时又包含若干个曲牌,这样一来,辰河高腔的曲牌数量就会大大增多。同一个母调中的曲调都是同一

宫调,它们的基本腔调都来自于母调牌子之中八个母调的基本腔句和数板,其腔调各有特征,现按宫调介绍如下:[1]

(一)上字调(C宫)系统的母调

1."风入松母调"的基本腔句

谱例 8-1 冲腔

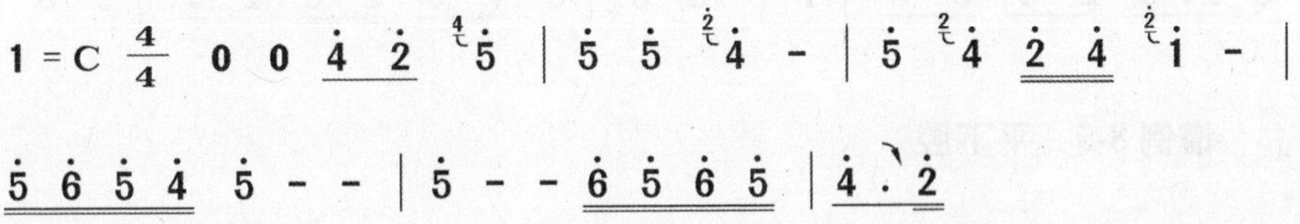

[五线谱/简谱]

谱例 8-2 平腔

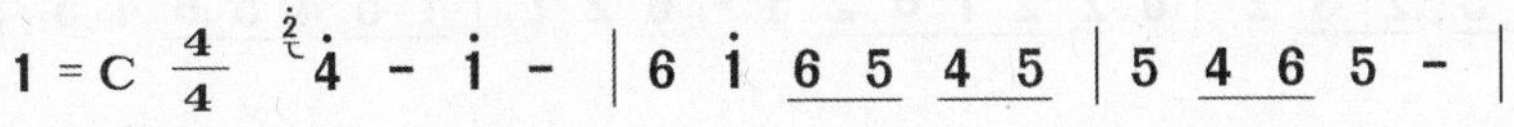

[五线谱/简谱]

谱例 8-3 原下腔

[五线谱/简谱]

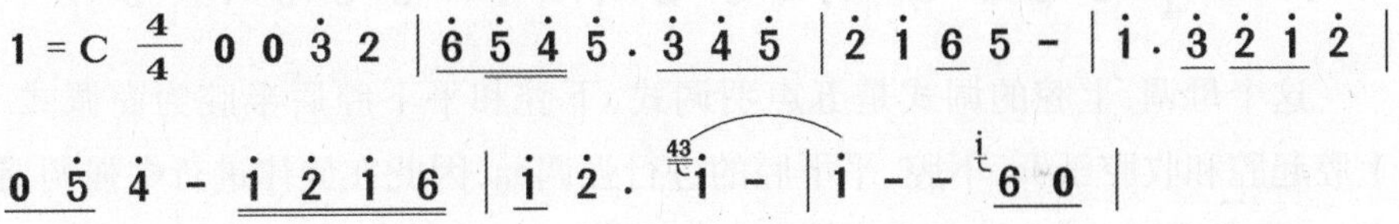

在谱例 8-3 中,从 sol 到 fa 的时值保持较长,唢呐在表演此音时有泛音,效果十分精彩,戏曲的演唱者也是对其音高尽情地接近,并对唢呐吹奏出来的泛音进行模仿。常以清角为宫转入下属调是此母调的独特之处,冲腔是宫调式(清角),平腔是商调式(同样也以清角为宫),原下腔则是有转调的徵调式。此母调的腔调坚韧、刚毅,在强调 fa 或升 fa 音时,还有一种愤怒、嘶喊的效果。

---

[1] 本节谱例引自吴宗泽.辰河高腔宫调与圈腔点板[A].湖南民族民间音乐论文集[C].1995.

2. "驻云飞母调"的基本腔句

谱例 8-4　下腔

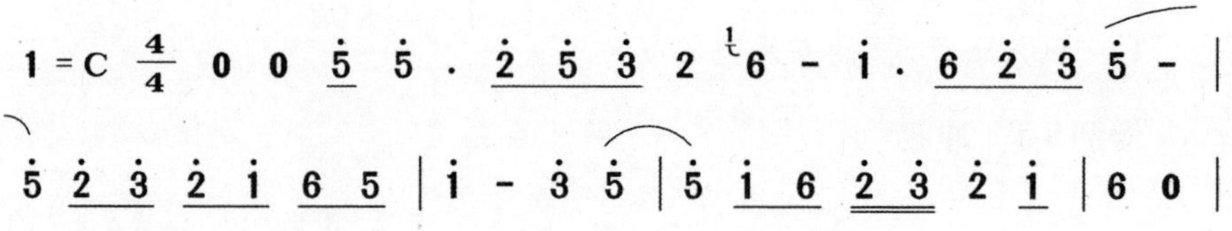

[乐谱]

谱例 8-5　平下腔

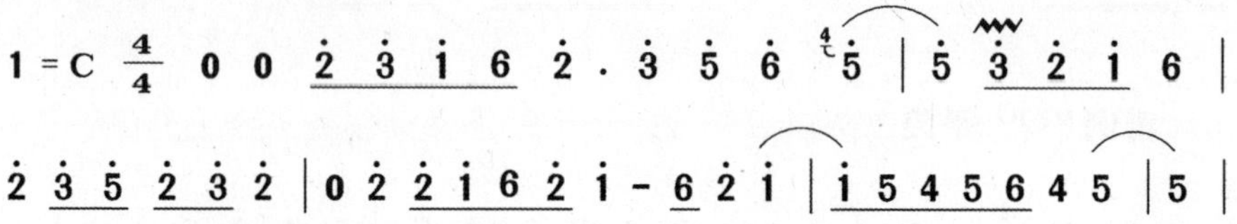

[乐谱]

谱例 8-6　平腔

[乐谱]

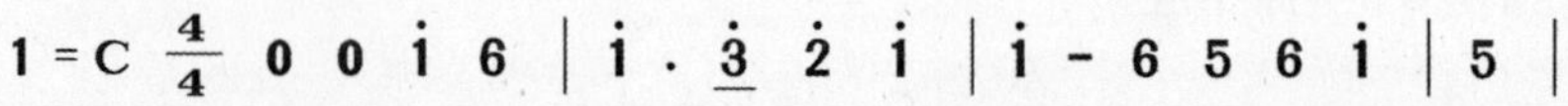

这个母调,上腔的调式是五声羽调式,下腔和平下腔后半腔为商调式。上腔起腔和收腔于 la,下腔、平下腔的进行强调 la,因此在旋律进行中强调羽音 la,la 色彩明显,此母调整个腔调清幽、雅正,也可表现风趣、热情的情绪。

(二)乙字调(降 B 宫)系统的母调

1."红衲袄母调"的基本腔句

谱例 8-7　上腔

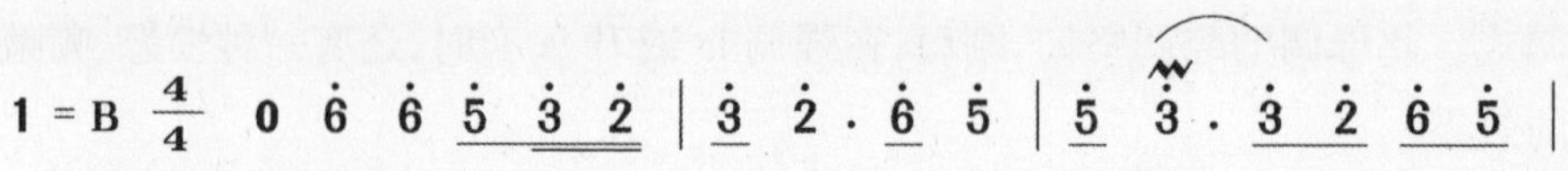

[乐谱]

谱例 8-8　下腔

[乐谱]

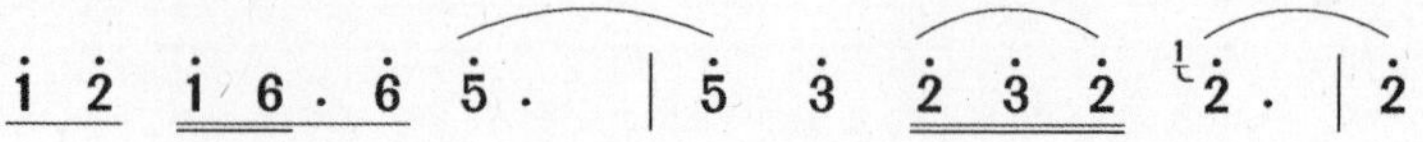

这个"红衲袄母调"上腔收腔落音于 re,为商调式;下腔收腔落 sol,为徵调式。曲调为五声音阶,旋律进行中声区多为级进、流动、委婉,但在高音区

跳进十分明显,旋律中强调 sol 音,整个曲风特征十分明显。此母调整个腔调较为开朗、明亮,也给人真切、深沉之感。

2. "锦堂月母调"的基本腔句

谱例 8-9　上腔

$1=B\ \frac{4}{4}\ \dot{1}\ -\ \dot{1}\ \dot{3}\ \dot{2}\ |\ \dot{2}\dot{1}\ 7\ 6\ 5\ 1\ 6\ \dot{1}\ \dot{2}\ 0\ |\ \dot{5}\ 6\ \dot{5}\ 6\ \dot{1}\ 6\ \dot{5}\ \cdot$

$\dot{5}\ 3\ 2\ \dot{1}\ 2\ \cdot\ |\ 0\ 5\ 0\ 2\ \dot{1}\ |\ \dot{3}\ -\ \dot{2}\ \dot{3}\ \dot{2}\ \cdot\ \dot{2}$

谱例 8-10　下腔

$1=B\ \frac{4}{4}\ 0\ 6\ 6\ \dot{1}\ \dot{2}\ |\ 5\ 5\ \cdot\ 6\ \dot{1}\ 5\ 6\ \dot{1}\ |\ 0\ 6\ 5\ 3\ 2\ 5\ |$

$\overset{31}{2}\ -\ -\ |\ \dot{1}\ \dot{3}\ 2\ 2\ \dot{1}\ \dot{2}\ \dot{1}\ 7\ 6\ 5\ 6\ \cdot\ |\ 5\ 6\ 5$

此母调上腔为商调式,下腔为徵调式。旋律在中低音区进行以级进为主,旋律线条下行,出现了变宫 si 这个音,使旋律音色彩暗淡了。此母调演唱时表现的是纯朴、温情的情绪,但旋律中,这些腔句又易唱出乐观或轻佻或诙谐的情绪。

3. "汉腔母调"的基本腔句

谱例 8-11　上腔

$1=B\ \frac{4}{4}\ 0\ 0\ \overset{6}{3}\ -\ |\ \dot{5}\ \dot{6}\ \overset{\dot{6}}{3}\ \dot{5}\ \dot{3}\ \dot{2}\ \dot{3}\ |\ \dot{3}\ 0\ \dot{5}\ -\ |$

$\dot{5}\ \dot{1}\ \dot{3}\ \dot{2}\ \dot{1}\ 6\ |\ \dot{5}\ \cdot\ \dot{5}\ 6\ \dot{1}\ 6\ |\ 0\ 6\ \dot{2}\ \dot{1}\ 6\ 6\ 5\ |\ \dot{3}\ \dot{2}\ \dot{3}\ 6\ \dot{1}\ \dot{2}\ |$

$\dot{2}\ \dot{1}\ \dot{3}\ 6\ 5\ \dot{5}\ \dot{2}\ |\ \dot{3}\ -$

谱例 8-12　下腔

$1=B\ \frac{4}{4}\ 0\ 0\ 6\ \dot{5}\ \dot{3}\ |\ \dot{5}\ \dot{3}\ \dot{3}\ \dot{2}\ |\ \overset{3}{\dot{2}}\ \cdot\ \dot{3}\ |\ \dot{1}\ \cdot\ \dot{2}\ \dot{1}\ 5\ 6\ |$

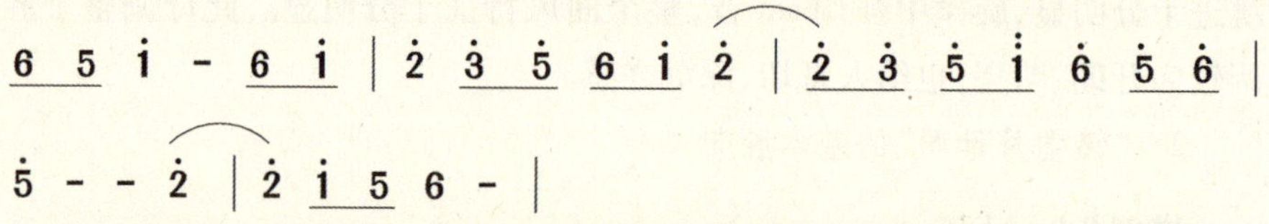

[谱例续]

该母调上腔收腔落角,为角调式;下腔收腔落羽,为羽调式。旋律进行以级进为主,但也有纯四、纯五、大七度的跳进,旋律中,强调了角音 mi、商音 re 以及羽音 1a,并分别在不同的位置上得到强调,更加突出了曲牌中调式的色彩,整体上分析还是徵属性较强。此母调演唱时突出了高亢、昂扬、开朗感,给人以爽快、豪放之感。

(三) 凡字调(F宫)

仅有"新水令"一个母调。

谱例8-13　上腔

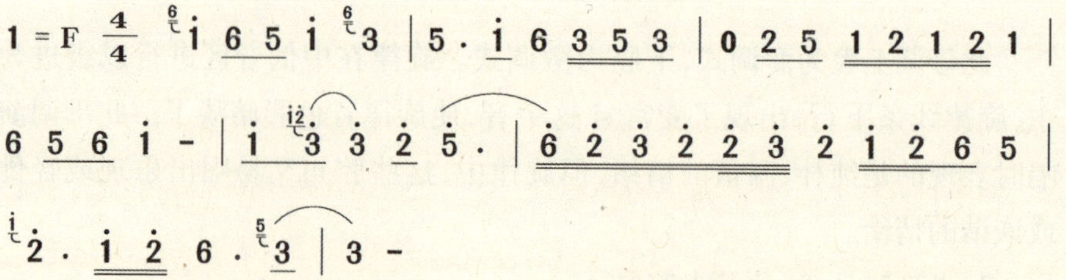

[简谱]

谱例8-14　下腔

[简谱]

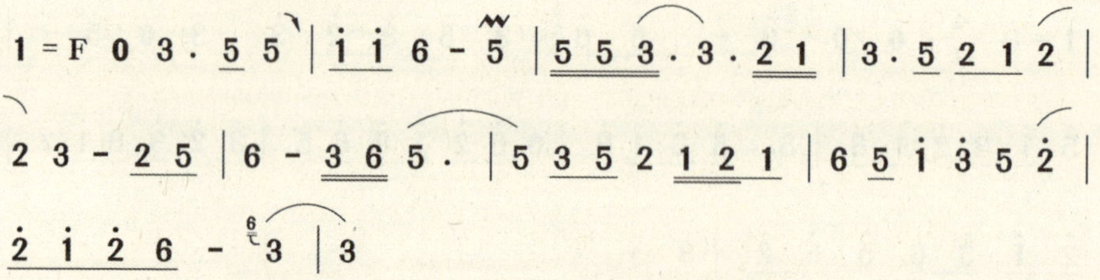

此母调与上一母调基本特征相同,上、下腔均为五声角调式。角音 mi 得到强调,使曲调角调式风格鲜明。此母调在演唱处理时,既可表现腔调的活泼、明快而清新,也可以处理成深情稳重的唱腔,因此风格特征明显,并独具一格。

（四）乙字调与上字调相拌的"双宫"

有"汉入松母调"。

该母调中的曲牌，来自不同宫调，即"汉腔母调"的冲腔和"风入松母调"的原下腔拌和连而成，虽然来自不同的宫调，旋律也各有不同，但一经组合，却天衣无缝，因此传统中把它另立为一个母调。这种结合起来的腔调，别有风味，风格幽默、诙谐。

谱例 8-15

以上是常用到的母调的演唱及特点。

三、行当角色

泸西县春节辰河高腔专场演出

辰河高腔的行当角色齐全,并配以特技表演和特有身段动作。按现行体制,辰河高腔的行当有小生、生角、旦角、丑角和花脸五行,各行又有不同的戏路与小行。其中小生可细分为公子巾、二生巾、道巾、罗帽、纱帽以及紫金冠六种戏路;生角有老生、红生、正生、小生之分;旦角可分老旦、小旦、正旦、摇旦等;丑角有公子巾、抓子巾、二生巾、无名巾、方巾、道巾、罗帽、紫金冠等戏路;花脸可分粉腔、老脸、袍带、讲白、逗趣、草鞋、大肚子等戏路。

辰河高腔特有的身段动作有打校场、遛马、夜摸、躺马、起坝等;而特技主要有耳功、眼功、扇功、帽功、袖功以及跳功等多种门类。其中眼功有死眼、泪眼、翻眼等技艺;扇功有丢扇、旋扇、盘头扇等技艺。此外,还有金鸡独立、岩鹰晒翅、高台拖椅、空顶上梯等特技。

第九章 存在问题与保护策略

第一节 存在问题

随着社会的发展、技术的革新,作为历史剧种的松阳高腔与其他剧种一样,濒临消失的境地。目前的松阳高腔,只在其发源地松阳县玉岩镇的周安村和白沙岗村存在。其生存面临的压力来自于多方面,主要有:

一、艺人断层

松阳高腔表演艺人年龄趋于老化,年轻人大多不太热衷于这一古老的艺术,因此松阳高腔出现了青黄不接的尴尬局面。松阳高腔这种古老的传统音乐文化艺术,再继续通过口传身授的传承方式进行传播将面临严峻的挑战。在当下松阳高腔的表演老艺人中,年龄最大的有80多岁,最小的也近70岁,这些老

刘建超(左)与高腔艺人李宙宪整理剧本

艺人在松阳高腔的传承与传播上是心有余而力不足,他们的年龄已不再适

合当下的表演需要。

王建武(右3)与松阳高腔艺人李东全(右1)、李宙宪(右2)、
李宙法(左1)、陈春林(左2)合影

20世纪80年代开始学习松阳高腔的表演艺人在当时大约有30余人,在当下其平均年龄差不多有40岁,但是这一批人中现在还能够从事松阳高腔演出的也只剩下十来人而已。当前,周安剧团的主要演员吴关群、吴发仲、吴永清等都有带徒的想法,但迫于生计,他们既无时间也无精力。此外,演员们基本上都分散在各个自然村落,其一方面做演员,另一方面更多的是兼当劳动者。繁重的体力劳动和家庭琐事使他们很难在演戏上花更多的精力与时间。一年当中也只是在春节期间有几场固定的演出,春节过后,又得外出兼做农务。

之所以出现这样的问题,在于演员仅靠表演松阳高腔生活得不到应有的保障,艺人们只好为了生计外出打工,而年轻人对传统音乐文化的传承没有相当的兴趣。因此,松阳高腔若想传承与发展,必须解决演员后继乏人的问题。

二、装备陈旧,资金短缺

王建武(左)采访老艺人吴大水

在对周安剧团团长吴大水的调研中,他吐露出其最担心的问题在于资金缺乏。他认为,有了足够的资金就不会存在没有演员的问题。有了相当的资金,所有的演员就不会为生计去奔波。此外,要把整个戏班拉出去开演,消耗的不单单是精力,其资金的开销也是很大的一笔。同时他也认为,松阳高腔如若再不出去表演,很快就会在他们这一代手中失传。其原因在于松阳高腔历来靠艺人"口吐"相传,由于年代的久远和其他原因,松阳高腔原有的300多部剧本,现在仅剩下58部,其他的基本上已经失传。现在还有几位老艺人尚在,他们还能在戏路上给年轻人一些指点,若再过三五年,等这些老艺人驾鹤西去,松阳高腔别说发展创新了,就连保存都会成为问题。

松阳高腔表演时的乐器与服装行头在当下看来已比较落后,有些剧团使用的道具还是民国时期置办的,这样的道具都可以称之为古董了,经过几十年甚至上百年的风吹雨蚀、碰撞挤压、摔砸磕碰,均已破烂不堪。另外,戏曲表演的服饰基本上都是很贵的,一件简单的蟒袍就要

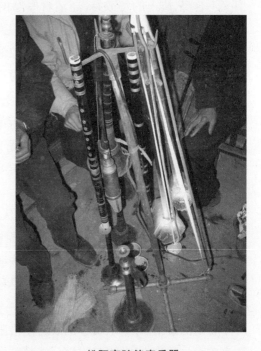

松阳高腔伴奏乐器

好几百块,一个普通剧团有十几件蟒袍应该是最基本的设置了。除了蟒袍以外,其他服饰以及演出所必需的伴奏乐器、车辆等的置办也需要一笔不小的开支。

高腔艺人中的旦角演员洪永娇,谈起这方面事情时颇有感触。回顾她进剧团后有限的几

松阳高腔乐队演奏

次演出,她记忆最深的一次是在 1998 年,浙江省温岭举办"稀有剧种"演出会,她和吴关妹(40 岁)等 5 名剧团人员参演,表演了一个叫《真假陈十四夫人》的折子戏。他们到温岭表演时发现,在所有来参演的剧团中,他们的装束是最扎眼的"土",尤为特别的是几个男演员的装束,其衣服穿在身上既破旧又不合身,脚上的解放鞋,还沾着厚厚的泥土,实在有碍观瞻。最后是她给家里打电话,叫丈夫把他平时穿的一些好一点的衣服鞋子寄过来给几个男演员穿。在采访中,我们还了解到其他演员的心声和期望,他们对于松阳高腔走市场化道路感觉十分不妥当,认为这种做法不但做不通,而且会使松阳高腔很快走向衰亡,其原因在于传统的高腔表演在时下的市场中并不乐观。他们希望政府有关部门能够适当地给予帮助,给演出人员适当发一些补助,给剧团的表演装备适当添置一些新的行头。要让年轻的表演艺人看到希望,这样他们才会俯下身来认真地学习高腔艺术表演,才会使松阳高腔艺术传承与发展下去。

而松阳县档案馆主任科员陆宝良却认为满足艺人们的这些心声是不那么容易办到的。陆宝良认为,对松阳高腔资料的搜集整理就是一笔很大的开支。这些资料由于年代久远,加上一些散落在民间的遭到虫蛀、霉烂的手抄谱本,要把这些材料修复、完善并且拍摄成录像,则需要更大的一笔开销。就目前的松阳县财政来说,要拿出这样一笔资金去扶持松阳高腔社团是十分不容易的事情。因此,资金的缺乏使松阳高腔难以登上大雅之堂;抢救松阳高腔面临的最大困难仍然是资金问题。

三、生存环境差,演员文化素质低

松阳高腔作为一种民间戏曲品种,长时间以来都是在乡间里巷进行表演。现在仅存的两个松阳高腔剧团,都还在其发源地松阳县玉岩镇的白沙岗村和周安村。海拔800多米高的周安村,离玉岩镇还有十几公里的机耕路,自然生存条件很差。白沙岗村较之于周安村更是人迹罕至。松阳高腔就在这样两个偏远的山村代代相传。松阳高腔的传承方式就是依靠原始的、家族式的口传身授,其演员基本上都是家庭成员,文化程度小学的居多,初中程度的就很少了。因此,生存环境差、演员文化素质低,致使松阳高腔在传承和发展中受到了很大的制约。

因此,松阳高腔班社在这种环境中要传承和发展,大多是力不从心和举步维艰,如若不加以合理的扶持,这朵民间艺术的奇葩将很快面临着凋谢的命运。

第二节 保护策略

松阳高腔的学习和发展、传承和创新,需要我们这一代做的工作很多。首先应做好以下几个方面的工作:

一、抢救与保护

在松阳县政府和文化主管部门的统一领导下,发动档案馆、文物馆、文联、文史工作者等,全面、系统地查询、收集松阳高腔的文史、文献资料;收集现时的相关文字、图片、声像资料;对散落于民间的手抄剧本进行修复、整理和复制;深入村镇进行实地考察,收集民间艺人的相关情况;定期举办高腔演出(如春节演出),对现有的演出剧目进行摄录;等等。资金方面,要最大限度地争取上级部门及社会各界的支持,做到专款专用。总之,抢救和保护松阳高腔的工作任重而道远。

二、传承与发展

到目前为止,松阳高腔的传承方式还仅仅停留在家族式的口授身教这样一种原始的方式阶段,这是很不够的。应当尽快把松阳高腔纳入到丽水(特别是松阳)地方现行学校(小学、中学直至大学)的艺术教育教学体制中来,从教材、师资(老艺人、专家)等的配备到传承学校的确定,建立比较完整、系统的短、中、长期的教育教学目标,建立一整套相对完善规范的高腔传承教育教学体制,培养出一批批能传承和发展高腔艺术的高素质人才。

三、普及与推广

即与社区联合,通过社区这个窗口,使松阳高腔进入社会,在社会这个更大的范围内得以普及和推广。特别是在玉岩这边,做到学校、社区相结合,学以致用,利用节假日举办高腔的演唱、演出活动。

四、开拓与创新

历史上,松阳高腔的演出范围曾遍及本省的丽水、温州、金华、绍兴、杭州等地和闽、赣、皖三省。而现今的松阳高腔,只是停留在其发源地玉岩镇一带,演出范围狭小,不被世人所知。因此,松阳高腔要凭借"国家首批非物质口头文化遗产保护项目"这块金牌,利用一切可利用的资源和途径,树立以演"高腔"来养"高腔"进而发展高腔艺术的思想,开拓市场,争创经济效益。正如松阳高腔研究协会会长刘建超所说的:"要让松阳高腔像古代一样,不仅仅局限在松阳的区域范围内,而是走出市、省,让它的影响面打响本市、本省、全国。"

五、开发与建设

近年来,以区域特色文化艺术为特征的如"云南印象"、"西湖印象"等备受瞩目,充分展现了地方特色,为当地经济的发展起到重要的推动作用。
2005 年,丽水市政府按照浙江省委加快建设文化大省的要求,从本地实际出发,着力弘扬具有地方区域特色的丽水民间艺术的绿谷文化,出台了《关于加快绿谷文化建设的决定》,提出了以打造"艺术之乡"为主线,培育文化艺术产业,增强文化软实力,把发展有竞争力的特色文化产业作为绿谷文化建设的重要工作。

几年来,全市上下紧扣中心任务,在民间艺术的保护、开发、利用和民间文艺队伍的建设、民间文艺人才的培养、民间文艺创作的繁荣、打造绿谷文化品牌等方面付出了巨大的努力,也取得了丰硕的成果。2007年8月13日,中国民间文艺家协会在经过认真的实地考察和评审后,做出了《关于命名丽水市为"中国民间艺术之乡"的决定》,并要求按照有关规划努力做好各项工作,切实抢救、保护和弘扬优秀民间文化艺术。

松阳高腔传统剧目《合珠记》演出剧照

因此,作为戏剧文化精品的松阳高腔应尽快与"龙泉剑瓷"、"青田石雕"、"云和木制玩具"、"缙云民间婺剧团"、"昆曲·遂昌十番"等丽水特色民间文化艺术相链接,通过制定规划、完善政策、加大投入等措施,使松阳高腔成为丽水区域特色文化艺术中新的亮点,并为拉动当地的经济做出应有的贡献。

结 语

在丽水,同样作为首批国家级非物质文化遗产的龙泉青瓷的烧制技艺、龙泉宝剑的锻制技艺和青田的石雕技艺,它们都在文化传承发展和市场经济效益方面取得了较好的成果。又如,丽水的另一个民间宝贵文化遗产——"昆曲·遂昌十番"(是庙会文化中的器乐演奏队,吸收了汤显祖传播的昆曲艺术,演变为专门演奏昆曲和以汤显祖《四梦》为主的昆曲曲牌的器乐坐班,至今已有四百多年历史,其内容和演奏风格独具特色),由于历史原因,在新中国成立后终止了演奏,大多数老艺人相继谢世,眼看这一宝贵的民间文化遗产就要失传,20世纪80年代,遂昌县人民政府在民间音乐调查时发现了这一宝贵的民间文化艺术,于是及时地开展了抢救和保护。目前,该县根据《遂昌县"汤显祖文化"发展规划》的总体要求,制定了《打造昆曲十番文化品牌实施方案》。该县已在石练镇和湖山乡恢复并组建了两支农民演奏队,人员有40余人。为了培养更多的昆曲十番艺术新人,在该县实验小学成立了"汤显祖文化传承学校",在石练中心小学成立了"昆曲十番传承学校",在十番原生态保护村——石练镇石坑口村建立了"昆曲十番传习基地",共有100多名青少年、30多名民间爱好者学习、传承"昆曲·遂昌十番",适时还将成立昆曲十番古乐坊。为了提升"昆曲·遂昌十番"的文化品位和影响力,该县于2006年9月成功举办了"2006中国·遂昌汤显祖文化艺术节暨国际学术研讨会",吸引了海内外100多位专家、学者前来参加学术交流和调研。在遂昌县人民政府的大力扶持下,"昆曲·遂昌十番"正焕发出前所未有的艺术青春。再看全国范围内的其他地区,如东北的民间传统表演(如二人转)、西北的民歌、西南的少数民族歌舞等,它们都在文化的传承和发展方面取得了可以借鉴的成功经验。

"沉舟侧畔千帆过,病树前头万木春。"当老艺人渐渐离我们而去的时候,应该有更多的继承人成长起来。作为戏剧文化"活化石"的松阳高腔,不应该在后继乏人等困境中日渐萎缩甚至消亡。希望这样的呼声能够让有关方面和部门行动起来,采取切实措施,保护、传承和发展松阳高腔这一文化精品,使其重新焕发艺术青春。

参考文献

1. 戏曲界的活化石:松阳高腔[J].浙江档案,2013(12).
2. 张敏桦.地方高校声乐教学区域化的必然性研究[J].丽水学院学报,2013(05).
3. 赵海英.方言学视野下的山西民间音乐[D].山西大学,2013.
4. 李砚.扩散、整合与储存[D].上海音乐学院,2013.
5. 钟郁芬,叶高兴.松阳高腔的前世今生[J].浙江画报,2013(04).
6. 徐海龙.2007—2011年我国核心音乐曲牌研究综述[J].北方音乐,2012(11).
7. 阿航.乡野黄花分外香[J].野草,2012(05).
8. 王挺,刘水云.浙江省戏曲传承人口述史及数字档案创建的探讨[J].浙江传媒学院学报,2012(05).
9. 李亚.表演场域中的遂昌傀儡戏[D].上海音乐学院,2012.
10. 刘明明.松阳高腔的历史流变与本体形态研究[D].浙江师范大学,2012.
11. 何晶.浅析地方戏曲唱腔特点与课堂教学的巧妙融入[J].大舞台,2012(01).
12. 白海英.论江湖本的传承和戏曲生态——以婺剧为例[J].浙江艺术职业学院学报,2011(04).
13. 刘明明.古老戏种活态传承——松阳高腔活态传承状况及衬字衬腔研究[J].音乐大观,2011(11).
14. 叶涛.浙江非物质文化遗产图录:民间戏曲——松阳高腔[J].浙江艺术职业学院学报,2011(03).
15. 李亮.口头传统视域下陈靖姑传说故事的不同版本比较[J].温州职

业技术学院学报,2011(03).

16. 汪普英,上官新友.道教文化与浙西南地方戏曲文化的关系[J].电影评介,2011(17).

17. 王沥沥.赣剧两路高腔的音乐源流分析[J].天津音乐学院学报,2011(03).

18. 王建武.论松阳高腔唱腔曲牌的表现方式[J].音乐探索,2011(02).

19. 陆小秋,王锦琦.论高腔的源流[J].戏曲研究,1994(01).

20. 王建武.松阳高腔研究现状叙事[J].文艺争鸣,2011(08).

21. 王建武.松阳高腔打击乐初探[J].大众文艺,2011(07).

22. 张大军.婺剧高腔中的西安高腔音乐研究[D].浙江师范大学,2011.

23. 王建武.松阳高腔活态传承亟待保护[N].光明日报,2011-04-06.

24. 王建武.松阳高腔活态存在的田野调查[J].交响,2011(01).

25. 潘银燕.刍议松阳高腔唱腔中帮腔加入打击乐的表现形式[J].黄河之声,2011(05).

26. 陈兵红,等.生态文明村建设模式研究——以松阳县枫坪乡根下村为例[J].安徽农业科学,2011(06).

27. 杨迪芳,刘伟.开发地方文化课程资源,促进学校德育工作[J].教学月刊,2010(12).

28. 周菲.基于文化媒质的整体保护和传延——试论松阳历史文化名城保护体系的建构[A]·规划创新:2010中国城市规划年会论文集[C].2010.

29. 罗涛.浅谈松阳高腔唱腔词格与唱腔音乐的关系[J].中国音乐,2010(02).

30. 黄丽群.从浙西南地方音乐谈地方高校的音乐教育[J].西南农业大学学报,2010(02).

31. 孙玮,周如青,章明伟.春华秋实育桃李——教育创新结硕果[N].丽水日报,2009-12-09.

32. 兰伟香,陈锻彦,吴素花.产业兴镇铸辉煌[N].丽水日报,2009-11-04.

33. 叶志良.中国婺剧的文化定位[J].戏曲研究,2009(02).
34. 王加南.婺剧六大声腔的音乐特点[J].戏曲研究,2009(02).
35. 叶志良.中国婺剧的文化定位[J].戏曲研究,2009(01).
36. 王加南.婺剧六大声腔的音乐特点[J].戏曲研究,2009(01).
37. 《浙江档案》2008年总目录[J].浙江档案,2008(12).
38. 冯光钰.中国历代传统曲牌音乐考释(选载之八)[J].乐府新声,2008(04).
39. 谷慧香.松阳高腔[J].浙江档案,2008(11).
40. 张敏桦.松阳高腔的甩腔研究[J].黄钟,2008(04).
41. 陈毓.《流动大舞台》资源整合带来创意共振[J].中国广播电视学刊,2008(10).
42. 冯光钰.中国历代传统曲牌音乐考释(选载之七)[J].乐府新声,2008(03).
43. 黄丽群.从"二都戏"谈地方小戏的保护与传承[J].星海音乐学院学报,2008(03).
44. 王丽梅.戏曲"台本"在古典剧目传承中的作用——以《琵琶记》为例[J].文艺研究,2008(09).
45. 阮春生.松阳农民"赛文化"赛出文艺百花开[N].丽水日报,2008-08-31.
46. 戴和冰.戏曲声腔研究应面对的若干问题(下)——兼答苏子裕先生[J].戏曲艺术,2008(03).
47. 杨咏.论弋阳腔[驻云飞]正体曲牌音乐特征[J].南昌大学学报,2008(03).
48. 史征.一种新型文化产业集群的经济学分析研究——以浙江嵊州民间越剧演出业为例[J].中国戏剧,2008(05).
49. 白海英.赣剧"江湖十八本"考[J].江西师范大学学报,2008(02).
50. 李春沐.国家级非物质文化遗产项目代表性传承人颁证仪式在人民大会堂隆重举行[J].中国戏剧,2008(04).
51. 程俐.城市社区休闲产业结构特点研究——以丽水市为例[J].新西部,2008(04).
52. 包钢.白族吹吹腔新探[J].民族艺术研究,2008(01).

53. 王建武.对松阳高腔生态现状的思考[J].丽水学院学报,2007(06).

54.《丽水学院学报》2007年总目录[J].丽水学院学报,2007(06).

55. 张涛.松阳高腔传承基地在玉岩镇挂牌[N].丽水日报,2007-11-12.

56. 寇红.留住文化的根脉[J].浙江人大,2007(11).

57. 何赛阳.义乌婺剧探源[J].戏文,2007(05).

58. 邓其锋.丽水民间艺术——传承中闪耀光辉[N].丽水日报,2007-09-19.

59. 杨建伟.探析松阳高腔的帮腔特征[J].丽水学院学报,2007(04).

60. 杨建新.让中国戏曲走近学生——初中段戏曲音乐的教学与实践[J].丽水学院学报,2007(04).

61. 方莹.遂昌木偶戏的音乐及社会功能研究[J].中国音乐学,2007(03).

62. 毛丽君.对松阳高腔地方艺术档案建设的思考[A]·2007年浙江省高等学校档案优秀论文集[C].2007.

63. 毛丽君.对松阳高腔地方艺术档案建设的思考[J].兰台世界,2007(12).

64. 伊晓军.浙西南松阳鼓词考[J].艺术探索,2007(05).

65. 兰婷.浅谈"戏曲活化石"之松阳高腔[J].戏文,2007(03).

66. 国务院关于公布第一批国家级非物质文化遗产名录的通知[J].时政文献辑览,2007.

67. 徐伟俊.天地阅览室 万物皆书卷——浅谈语文课程资源的开发和利用[J].基础教育研究,2007(04).

68. 方莹.遂昌木偶戏的调查与研究[D].中国艺术研究院,2007.

69. 肆口.八方英才汇杭城 累累硕果结金秋——中国传统音乐学会第十四届年会暨第四次会员大会综述[J].人民音乐,2007(02).

70. 张敏桦.松阳高腔考[J].黄钟(武汉音乐学院学报),2006(04).

71.《丽水学院学报》2006年总目录[J].丽水学院学报,2006(06).

72. 虞红鸣.围绕目标 突出主体 打造品牌[J].今日浙江,2006(19).

73. 马华祥.弋阳腔源流考[J].戏剧艺术,2006(04).

74. 刘国安.保护民族文化的记忆[N].丽水日报,2006-08-06.

75. 江有标.音乐大师谈艺录——记杜亚雄、刘志、王同三位教授的一次讲座及其思考[J].企业家天地,2006(07).

76. 钟秀球.松阳高腔剧种史音乐源考[J].中国音乐,2006(03).

77. 施维.戏曲音乐中唱腔与伴奏的关系问题[J].浙江艺术职业学院学报,2006(02).

78. 龙旎.戏曲声乐音色研究[D].上海音乐学院,2006.

79. 王建武.松阳高腔唱腔中衬腔的表现形式与语音分析[J].中国音乐,2006(02).

80. 王建武.对松阳高腔之源的初步梳理[J].丽水学院学报,2006(01).

81. 薛荣伟.发挥电视优势 保护"非物质文化"遗产[J].视听纵横,2006(01).

82. 王建武,张艺.松阳高腔与松阳民间音乐关系探微[J].南京艺术学院学报(音乐与表演版),2006(01).

83. 白海英.高腔与江湖十八本[J].艺术百家,2006(01).

84. 杨卫中.松阳高腔"重出江湖"[N].浙江日报,2006-01-12.

85. 徐宏图.浙江的道教与戏剧[J].杭州师范学院学报,2005(06).

86. 吴伟松.松阳高腔文武场音乐溯源[J].音乐探索,2005(03).

87. 吴伟松.松阳高腔文武场音乐溯源[J].音乐天地,2005(05).

88. 徐宏图.南戏高腔本《太平春》的发现及其概貌[J].温州师范学院学报,2004(06).

89. 徐宏图.内坛法事外台戏——论中国戏剧与宗教的关系[J].戏曲研究,2004(01).

90. 王建武,钟秀球,张敏桦.松阳高腔唱腔中甩腔的基本特性与表现形式[J].中国音乐,2004(01).

91. 钟秀球,王建武,张敏桦.松阳高腔曲牌的音乐特征[J].中国音乐,2003(03).

92. 山野闲花,古腔古调——新昌调腔艺术档案和松阳高腔艺术档案介绍[J].浙江档案,2003(06).

93. 管云.南戏遗音——松阳高腔音乐探微[J].乐府新声,2003(02).

94. 陈景娥.原始形态的松阳高腔[J].戏曲研究,2002(01).

95. 王文杰.高山深处最后一段声腔[J].戏文,2002(01).

96. 马向东.世纪末"稀有剧种"的一次艺术盛会——浙江省少数剧种交流演出综述[J].戏文,1998(06).

97. 徐宏图.浙江戏曲第一部信史——《中国戏曲志·浙江卷》述评[J].戏文,1998(04).

98. 丁红梅,李梅.松阳高腔管窥[J].浙江师范大学学报,1998(01).

99. 谢涌涛.浙江地方戏曲舞台美术略述[J].戏剧艺术,1993(02).

100. 杨建伟.南戏寻踪——南戏现代遗存考[M].杭州:西泠印社出版社,2007.

101. 刘建超.松阳高腔音乐与研究[M].北京:中国民族摄影艺术出版社,2008.

102. 刘建超.浙江省非物质文化遗产代表作丛书——松阳高腔[M].杭州:浙江摄影出版社,2009.

103. 洛地.中国戏曲音乐集成(浙江卷·上)[M].北京:中国戏曲出版社,2002.

104. 吕鸿.处州文化与地方文献[M].杭州:浙江大学出版社,2010.

105. 徐宏图.南戏遗存考论[M].北京:光明日报出版社,2009.

106. 中国戏剧家协会上海分会,上海艺术研究会.中国戏曲曲艺词典[M].上海:上海辞书出版社,1981.

107. 松阳县文化局.中国民族民间器乐曲集成·松阳县卷(内部版).1986.

108. 周巍峙.湖南戏曲音乐集成·怀化地区卷[M].北京:文化艺术出版社,1992.

109. 魏敏.浙江衢州西安高腔研究[J].丽水学院学报,2009(03).

110. 齐宝英.衢州西安高腔[J].浙江档案,2007(09).

111. 彭筠,叶申学,周星林.沅水流域早期戏剧活动与常德汉剧高腔的起源[J].艺海,2009(03).

112. 蔡芳.浅谈"常德汉剧"之音乐文化[J].艺海,2008(01).

113. 何益民.湘剧高腔音乐研究及发展对策[D].湖南师范大学,2005.

114. 赵娟.歌剧《洪湖赤卫队》的创作过程研究[D].新疆师范大

学,2012.

  115. 张大军.婺剧高腔中的西安高腔音乐研究[D].浙江师范大学,2011.

  116. 吴宗泽.辰河高腔宫调与圈腔点板[A].湖南民族民间音乐论文集[C].1995.

附 录

王建武松阳高腔与其他音乐理论研究成果索引

（一）著作论文

1. 钟秀球,王建武,张敏桦.松阳高腔曲牌的音乐特征[J].中国音乐,2003(03).

2. 王建武,钟秀球,张敏桦.松阳高腔唱腔中甩腔的基本特性与表现形式[J].中国音乐,2004(01).

3. 王建武.松阳高腔唱腔中衬腔的表现形式与语音分析[J].中国音乐,2006(02).

4. 王建武.对松阳高腔之源的初步梳理[J].丽水学院学报,2006(01).

5. 王建武,张艺.松阳高腔与松阳民间音乐关系探微[J].南京艺术学院学报(音乐与表演版),2006(01).

6. 王建武.对松阳高腔生态现状的思考[J].丽水学院学报,2007(06).

7. 王建武.松阳高腔打击乐初探[J].大众文艺,2011(07).

8. 王建武.松阳高腔研究现状叙事[J].文艺争鸣,2011(08).

9. 王建武.松阳高腔活态存在的田野调查[J].交响,2011(01).

10. 王建武.论松阳高腔唱腔曲牌的表现方式[J].音乐探索,2011(02).

11. 王建武.松阳高腔活态传承亟待保护[N].光明日报,2011-04-06.

12. 王建武(编委).松阳高腔[M].杭州:浙江摄影出版社,2008.

13. 王建武(副主编).松阳高腔音乐与研究[M].北京:中国民族摄影艺术出版社,2009.

14. 王建武.中国戏种[M].上海:上海音乐出版社,2011.

15. 王建武,刘建超.丽水民间音乐[M].北京:中国文联出版社,2012.

16. 王建武.高师音乐系、科应重视本地民间音乐的教学(获教育部首届大学生艺术展演活动教师艺术论文比赛二等奖)[J].丽水学院学报,2005(4).

17. 王建武.松阳民间器乐曲初考[J].艺术探索(广西艺术学院学报),2005(6).

18. 王建武.伦纳德·迈尔音乐哲学理论溯源[J].文艺争鸣,2010(11).

19. 王建武.音乐学科整合模式探究与思考——基础音乐教育学科整合对高师人才

培养模式改革的启示[J].丽水学院学报,2011(03).

20. 王建武.畲族原生态民歌的主要类型与基本特性——以浙江畲族原生态民歌为例[J].长沙大学学报,2011(6).

21. 王建武.传统音乐产品的未来分析[J].当代经济,2013(16);《企业家信息》(中国人民大学书报资料中心 X8 复印报刊资料),2013(10).

(二) 研究课题

1. 2006 年 3 月,主持丽水学院(序号 KY06030)课题:"浙江省丽水市古老戏曲剧种——《松阳高腔》的挖掘与承传",已结题。(主持)

2. 2006 年 7 月,主持浙江省教育厅(20061566)课题:"浙江省丽水市古老戏曲剧种——《松阳高腔》的挖掘与承传",已结题。(主持)

3. 2006 年 8 月,参与浙江省社科联(编号 06Z56)重点课题:"南戏寻踪——南戏现代遗存论考",已结题。(排名 2)

4. 2008 年 5 月,参与丽水学院教学改革(编号 08JY18)课题:"新课程背景下地方高校音乐学专业课程改革研究",已结题。(排名 3)

5. 2008 年 8 月,参与浙江省哲学社会科学规划重点(编号 08CGYD018Z)课题:"浙西南民间现存剧种的生态现状与保护研究",已结题。(排名 4)

6. 2010 年 12 月,主持丽水学院横向项目"松阳高腔剧本整理及改编"。(主持)

7. 2010 年 12 月,参与 2010 年浙江省提升地方高校办学水平专项资金《畲族音乐舞蹈融入艺术教育的人才培养和创新团队》项目(浙财教[2010]383 号文),项目进展中。(排名 3)

8. 2011 年 5 月,主持完成丽水学院横向项目"松阳高腔剧本整理及改编"。(主持)

9. 2011 年 2 月,参与浙江省哲学社会科学规划重点课题(编号 08CGYD018Z):"浙西南民间现存剧种的生态现状与保护研究",立项单位:浙江省哲学社会科学规划办。(排名 4)

10. 2012 年浙江省哲学社会科学规划课题(编号 12JCWH24YB):"松阳高腔口述传统剧本的记录、整理与研究",立项单位:浙江省哲学社会科学规划办。(排名 3)

11. 2012 年 6 月,主持完成浙江省哲学社会科学规划课题(编号 10CGWH10YB):"松阳高腔活态现状调查与保护研究",立项单位:浙江省哲学社会科学规划办。(主持)

后 记

2003年的春天,是一个在我的学术生涯中最难忘也是最值得纪念的日子!

当时丽水市民盟文化支部的部分盟员,在支部主委、市群艺馆副馆长赵建华的带领下,赴丽水市下属的云和县雾溪畲族乡开展民风调研。就是在这次调研活动中,身为支部一员的我结缘了刘建超老师,从此也结缘了松阳高腔。

在此之前,我对松阳高腔印象不深。从1988年大学毕业分配到松阳县政府所在地的松阳师范任教,至1998年调离松阳到浙江省少数民族师范学校的十年间,偶有几次在岳母家住的西屏镇北山村看过松阳高腔戏班的演出,感觉土得很。而对于刘建超老师,我只知道他是松阳县的一个文化干部,丽水文化界的名人,在松阳县举办的文艺活动中也偶有相遇或同台演出,仅此而已。

就是在这次畲乡的调研活动期间,同为支部盟员、时任松阳县工人文化宫主任的刘建超老师向我们(当时同行的还有我的同事蓝孝文老师、丽水职业技术学院钟绣球老师等)介绍了包括畲族民歌在内的丽水民间艺术的基本情况。尤其是在谈到松阳高腔时,刘老师除了详细介绍松阳高腔的基本概况外,更是声情并茂地讲述了他自1978年开始,对松阳高腔所做的大量的发掘、整理和研究工作。有感于对松阳高腔这一珍贵的民间艺术瑰宝的好奇和向往,更是受悟于刘老师那仁慈可亲的父辈般的引导,我毅然决定跟随刘老师,把松阳高腔作为今后学术研究的主要方向和目标。

十多年过去了,我跟随刘建超老师观看了松阳高腔剧团在玉岩镇、古市镇、西屏镇、新兴乡、水南小竹溪村等地的现场演出与采访、录像(音);前后多次到松阳高腔发源地白沙岗、周安二村进行实地考察与采访(最近一次是

2013年6月14日,我与刘建超老师随同我的访学导师、中国艺术研究院音乐研究所原任所长、博导乔建中教授到玉岩至白沙岗采访);先后走访过的高腔艺人有白沙岗剧团的李宙献(传承人,2008年省文化厅授予)、陈春林(传承人,2008年文化部授予)、李宙法、李伯能、李东全等,周安剧团的吴大水(省级传承人,2008年省文化厅授予)、吴陈基(传承人,2008年文化部授予)、吴陈俊、吴昌旺、洪永娇、金香娟等;先后参编刘建超主编的松阳高腔研究专著《松阳高腔》(浙江摄影出版社,2009年)和《松阳高腔音乐与研究》(中国民族摄影艺术出版社,2008年)、杨建伟主编的《南戏寻踪——南戏现代遗存考》(西泠印社出版社,2007年);发表与松阳高腔相关的论文11篇;主持或参与省部级研究项目如王建武主持的《松阳高腔活态现状调查与保护研究》(2010年浙江省哲学社会科学规划课题)、杨建伟主持的《南戏寻踪——南戏现代遗存考》(2006年浙江省社科联重点课题)、陈乐燕主持的《浙西南民间现存剧种的生态现状与保护研究》(2008年浙江省哲学社会科学规划重点课题)及《松阳高腔口述剧本的记录整理与研究》(2012年浙江省哲学社会科学规划课题)等。

本书是2010年由我主持的浙江省哲学社会科学规划课题《松阳高腔活态现状调查与保护研究》(于2012年6月结题)的后续研究成果;是在前期与松阳高腔相关的各研究成果的基础上,在民族音乐学的理论指导下,取人类学、民族学、社会学、民俗学、地理学、语言学、文献学等视角与田野调查相结合的研究方法的一次实践与尝试。本书中的图片,除标明出处外,均由本课题组成员提供,此处一并致谢。

感谢刘建超老师对我的知遇之恩,在本课题研究的过程中,他不仅给予我全面的指导和无私的帮助,而且在他手受伤后忍着伤痛为本书作序,是对我莫大的支持和鼓励,让我终生难忘。本书中的谱例,除标明出处外,均援引自我参编、由刘建超老师任主编的《松阳高腔音乐与研究》,书中不再一一标识。在此,再一次由衷地向刘建超老师表示感谢!

感谢我的访学导师、著名民族音乐学家、原中国艺术研究院音乐研究所所长乔建中教授给予我的谆谆教诲和悉心指导,他开阔了我的学术视野,提升了我的理论认知。

感谢浙江师范大学音乐学院杨和平教授,允许我在他的研究生课上学习,并给我专门指导。自2009年始,我往返丽水与金华两地,利用课余时间,修完中国音乐史、音乐美学、音乐教育学三个研究方向的课程,并与杨和平老师同道赴宁波、台州、武义、兰溪、云和、松阳、遂昌等地进行田野调查,获得了宝贵经验,有效弥补了我未曾经历研究生学习的遗憾。

感谢多年来给予我工作、学习帮助的丽水学院领导以及艺术学院老领导杨建伟教授、现任副院长陈乐燕教授以及我的同事们!

感谢苏州大学出版社薛华强主任给予本书顺利出版的多方面关照。

还要感谢我的爱妻叶菊香,她勤劳、朴实、善良、任劳任怨。在此特别感谢她对我长期奔波在外而置家庭于不顾的包容与理解。

最后我还要说的是,对于松阳高腔的研究,我只是一个后来者。本书的面世,是建立在学习、借鉴、吸收前人研究成果基础之上的心得和体会,从这些成果里我获益匪浅,在此表示感谢。限于水平,书中不当之处在所难免,敬请专家和广大读者批评指正。

王建武

2014年4月于丽水学院